Dans la peau d'une autre

Dans la peau d'une autre

JOHAN HELIOT

Collection dirigée par Guillaume Lebeau

RAGEOT ✦ *THRILLER*

Cet ouvrage a été imprimé sur un papier
issu de forêts gérées durablement,
de sources contrôlées.

Couverture : © Tony Metaxas/Asia Images/Getty Images.

ISBN : 978-2-7002-3621-7
ISSN : 2259-0218

RUPTURE

Bienvenue sur le blog de Marjorie

Lydia forever !

Ce soir, c'est le grand soir !
Lydia achève sa tournée européenne au Zénith de Strasbourg et j'y serai, au premier rang évidemment.
Après le concert, j'irai interviewer notre star adorée rien que pour vous, mes fidèles lectrices et lecteurs.
L'agence DEST, qui gère la carrière de Lydia (mais je ne vous apprends rien parce que vous êtes de vrai(e)s fans vous aussi !), m'a envoyé un « pass backstage », comme à une authentique journaliste. J'ai préparé mes questions et j'espère rapporter un super autographe dans mon livre d'or. Je le prendrai en photo aussitôt pour vous le faire partager. Dommage pour tous les malheureux qui ne pourront pas se déplacer jusqu'au Zénith ce soir !

Je suis terriblement excitée, je rêve depuis si long-temps de rencontrer Lydia. Je me demande encore comment je vais m'habiller. J'hésite entre plusieurs modèles portés par notre idole dans le clip de *Love Is So Fun*. Qu'est-ce que vous me conseilleriez, les amis ?

En tout cas, pour le maquillage, j'ai déjà fait mon choix : ce sera le total look gothique de la pochette du single *Prayin' in the Dark*... OK, je sais que cette période sombre de Lydia ne fait pas l'unanimité, mais j'assume !

Si vous avez un message à transmettre à Lydia, c'est le moment ou jamais. Envoyez-le-moi et je le lui remettrai en mains propres. J'ai encore du mal à réa-liser ce qui m'arrive ! Ce soir je serai en face de Lydia et je lui parlerai !!!

Aujourd'hui est le plus beau jour de ma vie. Dès demain, promis, je vous raconterai tout en détail.

Plein de bises, et comme le chante Lydia dans *You and I Again* : « After we met/The world can stop turnin'/Nothing else matters but/You and I again and again[1] ! »

> Trop de la chance ! Je suis sûre que le concert sera méga top. Dommage que Lydia ne passe pas près de chez moi.
> Dis-lui qu'on l'aime ici à Montpellier !
>
> *Laetitia*

---

1. Après notre rencontre/Le monde peut s'arrêter de tourner/Rien d'autre ne compte plus que/Toi et moi encore et encore.

J'étais au show du Zénith de Nantes, waouh
la big claque!!! Écrans géants, sono d'enfer,
danseurs sublimes, et bien sûr Lydia toujours
aussi magnifique. Tu vas te régaler, Marjorie!

Tite-Nana

Essaie de prendre plein de chouettes photos
pour le blog, ça me consolera de ne pas être
avec toi ce soir. Bises…

Camille

I

Des milliers de flashs crépitent. Le tonnerre des applaudissements roule sous l'immense charpente métallique du Zénith. La foule siffle et hurle son nom. Lydia jubile, en sueur, portée par ce nouveau triomphe. Elle salue à l'instant où la scène s'illumine, tous les faisceaux des projecteurs dirigés sur elle.

– Je vous aime ! Vous êtes les meilleurs ! Bonne nuit…

Elle hésite, soudain incapable de se rappeler dans quelle ville elle se trouve.

Le trou noir. Un moment de panique. L'effet de la fatigue, sans doute, après toutes ces semaines passées sur la route. Ce n'est pas la première fois que cela lui arrive. Quelques jours plus tôt, déjà, dans un autre pays, une autre salle de concert pleine à craquer, elle a oublié les paroles d'un de ses « vieux » tubes, sorti au début de l'année précédente.

Il a fallu que Wu les lui souffle entre deux pas de danse. Heureusement pour Lydia, son chorégraphe a bonne mémoire!

Elle se concentre. Aperçoit une lueur dans les ténèbres. Et d'un coup, elle se souvient :

– Strasbourg!

Délire des fans.

Un chœur composé de douze mille voix se met à scander son nom :

– LY-DIA! LY-DIA! LY-DIA!

La jeune chanteuse salue, réprimant un tremblement. Quelle cata ç'aurait été si elle ne s'était pas remémoré le nom de la ville! Les journalistes de la presse people s'en seraient donné à cœur joie. Ils sont comme des hyènes, toujours à l'affût de la moindre faiblesse, prêts à étaler à la une les moindres défaillances des stars. Lydia en sait quelque chose, qui vit traquée en permanence...

Mais ce n'est pas le moment de s'apitoyer sur son sort! Elle s'esquive sur une ultime pirouette, portée par les acclamations du public.

Il n'y aura pas de rappels, pas ce soir. Lydia n'en a plus le courage, ni l'envie. Pas après ce nouveau couac, cette nouvelle preuve que sa mémoire lui échappe depuis un certain temps...

Bien sûr elle se garde de faire ce genre de réflexion à voix haute. En particulier devant son entourage proche. À quinze ans, on n'est pas censée être surmenée ni avoir la mémoire qui flanche. Surtout quand on est adulée par des millions d'ados à travers le monde.

En coulisses, Max fait la tête. Il l'accueille avec son peignoir fétiche, lui éponge le front d'un geste mécanique. Puis il lui glisse à l'oreille :

– Ton public te réclame. Ce serait génial si tu pouvais...

Lydia interrompt brutalement son manager :

– Hors de question ! Je suis claquée. S'ils en redemandent, ils n'ont qu'à acheter mon dernier CD !

C'est sorti avec davantage de véhémence qu'elle l'aurait souhaité, mais ça lui évite d'avoir à parler, à s'expliquer. Plus tard, une fois douchée, reposée, rassurée...

Pauvre Max, partagé entre les intérêts de son agence et les exigences de sa star ! Il soupire, d'avance résigné, obligé de ménager la chèvre et le chou. Les caprices de Lydia sont des ordres – indiscutables. Son job consiste à les exaucer. Et à en rendre compte, fidèlement, en haut lieu, là où l'on veille scrupuleusement sur tout ce qui concerne les moindres détails de la vie de sa protégée.

Le manager songe aux ventes du dernier album, guère brillantes, la faute au téléchargement illégal... Lydia devrait y réfléchir à deux fois avant de frustrer ses fans !

Mais il préfère se contenter d'un :

– Comme tu voudras.

Lydia opine, satisfaite qu'il n'insiste pas. Puis elle s'engouffre dans le couloir des loges, poursuivie par la horde habituelle des admirateurs VIP – reconnaissables à leur « pass backstage ».

Les félicitations fusent de toutes parts, plus ou moins sincères. Le concert de ce soir clôture une tournée internationale triomphale. Les voix se mêlent dans l'esprit de Lydia pour former un épais brouhaha. Elle lance des remerciements avec un hochement mécanique de la tête, pressée d'en finir.

Jenny vole alors à son secours. L'attachée de presse de sa maison de disques prend prétexte de messages urgents à lui transmettre pour la soustraire à ses poursuivants. Sacrée Jenny, toujours aux aguets! Elle se comporte comme une grande sœur attentionnée.

Lydia fait un effort pour dissimuler son trouble et l'écouter. Elle ne veut pas l'inquiéter avec ses problèmes de mémoire. La jeune femme a déjà un emploi du temps démentiel à gérer. Et puis, l'endroit est mal choisi pour s'épancher.

N'empêche, Lydia hésite, esquisse un geste, se reprend et finalement recule. Plus tard, peut-être. Oui, c'est ça, plus tard...

Jenny égrène la traditionnelle litanie des commentaires : bravos par-ci, bravos par-là, demandes d'interviews, concerts privés, soirées de gala... bref, la routine un peu barbante pour une jeune reine du show-biz!

– Il faut que tu rappelles Angela, insiste pourtant Jenny. Je crois que c'est urgent.

La mention de la big boss de l'agence BEST fait aussitôt réagir Lydia.

– Elle a dit ce qu'elle voulait?

Jenny secoue la tête, agitant sa tresse.

– Tu la connais. Pas le genre à s'expliquer devant le petit personnel !

La remarque réussit à arracher un sourire à Lydia.

– Angela ne changera pas.

– Je suppose que non. Tu es sûre que tout va bien ? Tu n'as pas l'air dans ton assiette...

– Si, ça va, la coupe Lydia. Juste un coup de barre. Je parlerai à Angela tout à l'heure, promis.

L'attachée de presse grimace d'un air désolé.

– Si tu le dis.

Puis, alors que Max approche, elle enchaîne, retrouvant son attitude professionnelle :

– Dès que tu seras prête, tu me rejoins en salle VIP ? La télé régionale est là, pour un portrait du « phénomène Lydia », je cite le journaliste, et il y a aussi cette blogueuse très influente...

– Ils peuvent attendre cinq minutes, non ? Je ne suis pas à leur disposition, qu'est-ce qu'ils s'imaginent ?

D'un geste vif, Lydia pousse la porte de sa loge et la claque derrière elle, plantant tout le monde sur le seuil.

2

Seule face à son image dans le grand miroir au-dessus de la coiffeuse, Lydia s'autorise une grimace de lassitude. Son sourire s'éteint et meurt peu à peu. Une expression qu'elle réserve à la plus stricte intimité, car en public elle se doit d'être toujours éblouissante. Ce qui devient de plus en plus difficile, constate-t-elle en examinant son reflet.

Elle s'imagine de vilaines rides d'angoisse sur le front. Parvient même à les voir se creuser sur la peau de son double, comme dans cette histoire de portrait qui vieillit à la place de son modèle...

Dorian Gray, c'est ça. Bon, pas d'affolement. Rien qu'une séance de peeling ne pourra réparer. Il lui faut un rendez-vous dans les meilleurs délais chez Carita, dès son retour à Paris. Max s'en occupera.

Mais pour sa mémoire ? Ne devrait-elle pas consulter un spécialiste ?

Dans la glace, l'autre Lydia n'a pas l'air emballée par cette idée. Elle affiche même un visage las, dégoûté. Si les paparazzis la shootaient à la sortie de chez un psy, son image en souffrirait !

Autant laisser tomber. Tout va peut-être s'arranger après une bonne nuit de repos. La tournée touche à sa fin, ne restent plus que quelques émissions de télé dans les jours qui viennent, ensuite le programme est simple : soleil et farniente.

Cette pensée suffit à rasséréner Lydia. Avec un sourire à l'adresse de son reflet, elle se débarrasse de sa tenue de scène empoissée par la transpiration dans un déhanchement qui est le fruit de longues heures d'entraînement avec Wu. Son coach lui a appris à bouger, à maîtriser chacune des parties de son corps, avec autant d'exigence qu'à l'école de gymnastique de Pékin où il a été formé pour devenir un champion olympique. Aujourd'hui reconverti dans le personal training, Wu a chorégraphié tous les shows de sa protégée, de la simple apparition télé jusqu'au méga concert gratuit du nouvel an devant plus de trois cent mille personnes. Sur scène, c'est lui qui mène la troupe des danseurs. Tout à l'heure, elle passera les embrasser, avant que chacun reparte de son côté.

Mais avant cela, elle a besoin de l'averse bienfaisante de la douche. Elle s'engouffre dans la cabine et ouvre en grand les robinets. Les jets brûlants s'avèrent une bénédiction. Elle a tant transpiré ce soir qu'elle a sûrement perdu deux ou trois kilos !

De quoi faire le bonheur de Carla, sa diététicienne, une ex-mannequin à la limite de l'anorexie, imposée par le groupe BEST (pour Business, Entertainment, Science & Technology) afin de surveiller sa ligne, et gare aux moindres écarts! Quelques grammes mal placés et c'est parti pour une éprouvante séance de step...

Il ne faudra pas oublier d'appeler Angela, comme promis. La big boss du groupe tient sans doute à lui adresser ses félicitations avant que Lydia ne prenne des vacances bien méritées.

On verra ça demain!

Pour l'instant, rien ne compte plus que cette pluie chaude, apaisante...

Des coups frappés à la porte arrachent Lydia à sa rêverie. Elle réalise soudain qu'elle s'est assoupie, debout contre la paroi de verre lisse de la douche.

Mais enfin, que se passe-t-il?

Nouvelle volée de coups. On s'impatiente, derrière la porte.

– Voilà, j'arrive! s'écrie Lydia, après avoir rassemblé ses esprits.

Elle enfile à la hâte son peignoir, enroule une serviette autour des longs cheveux blonds qui sont sa marque – sur les posters et les pochettes de disques, on la voit alanguie sur l'éventail de sa chevelure, déployée tel un soleil ou une auréole.

Bref coup d'œil à son reflet dans le miroir de la loge, pour s'assurer que tout va bien, du moins en apparence. Puis Lydia déverrouille la serrure.

Max et Jenny se tiennent sur le seuil, l'air inquiets.

– Qu'est-ce que tu faisais ? demande le manager. Il est tard, le Zénith ferme. L'équipe de télé n'a pas pu rester, malheureusement. La blogueuse non plus.

– Désolée, je ne m'étais pas rendu compte… J'ai cru avoir fermé les yeux quelques instants, pas plus.

Max secoue la tête, grimaçant.

– Le bus est parti. La troupe t'a attendue long-temps, les musiciens aussi. Une petite apparition leur aurait fait plaisir.

– Je suis désolée, répète Lydia. Je vais leur envoyer un mail pour m'excuser. Ou je peux les appeler. Tu as leur numéro ?

Le manager acquiesce.

– N'oublie pas, surtout. Et commence par Wu. Il aurait tellement aimé te dire au revoir avant de partir pour l'aéroport.

– Me dire au revoir ? répète Lydia, perplexe.

– Il rentre chez lui. À Pékin. Tu avais zappé l'info ?

Il y a plus que du reproche dans le ton de Max : de la déception. Et encore autre chose, remarque Lydia, de plus subtil, comme une infime trace de chagrin.

Elle doit fournir un effort pour se rappeler leur conversation, quelques jours plus tôt, à Madrid ou bien à Barcelone, elle n'est plus vraiment certaine. Le chorégraphe avait évoqué la maladie de sa mère, son désir de la rejoindre dès que possible pour l'as-sister dans cette épreuve. Quelle maladie, d'ailleurs ?

Cancer, Alzheimer ? Impossible de s'en souvenir ! Ne subsistent que des bribes du dialogue avec Wu. Les détails se sont évanouis, aussi insaisissables et flous que des lambeaux de brume.

— Il n'est peut-être pas trop tard, je peux lui parler avant qu'il embarque !

Le manager consulte sa montre, hésite un quart de seconde, sort son BlackBerry et sélectionne le dernier nom dans la liste du répertoire.

— Tu as dix minutes avant l'arrivée de la limousine, prévient-il. Jenny et moi, on t'attend dans le couloir. Et n'oublie pas de t'habiller une fois que tu auras fini avec Wu !

— *Allô ?*

— Wu ! C'est moi, c'est Lydia... Oh, Wu, je suis navrée de t'avoir planté, si tu savais...

— *Lydia ! Rassure-toi, ça ira. Je suis content que tu appelles. Comment te sens-tu ?*

— Pourquoi tu me demandes ça ?

— *Tu n'étais pas vraiment dans ton assiette, ce soir. Je l'ai bien vu. Tu as même foiré quelques enchaînements sur scène ! Heureusement, tes fans n'ont rien remarqué.*

— Oh, Wu, j'ignore ce qui se passe... Je marche à côté de mes pompes en ce moment. J'oublie des trucs...

— *Quel genre de trucs ?*

— Écoute, je ne veux pas t'embêter avec mes petits problèmes. Surtout en ce moment, alors que tu rejoins ta mère... Je suis désolée pour tout à l'heure.

– Ne te mine pas, ma chérie. Je ne t'en veux pas. Écoute, il va falloir que j'y aille, l'embarquement a commencé. Promets-moi de faire attention à toi, d'accord ?

– Attention ? Oui, promis, Wu. Je t'embrasse très fort !

– Moi aussi, ma belle... Eh, tu n'es quand même pas en train de pleurer ?

– N... Non... Enfin, peut-être que si... Un peu... Tu t'en vas, Wu !

– On se reverra, je te le jure. D'ici là, sois prudente.

– O... Oui. Bon voyage, Wu... Et reviens vite...

– Aussi vite que possible. Tu as ma parole.

Quelques minutes plus tard, Lydia remonte l'interminable couloir des loges, encadrée par Max et Jenny, en direction de la sortie des artistes. Avec ses immenses lunettes noires qui lui mangent la moitié du visage, impossible de se rendre compte qu'elle a versé une pluie de larmes pendant et après son échange avec Wu.

Une explosion de cris emplit la nuit sitôt qu'elle pose le pied dehors. Un groupe de fans a envahi l'allée derrière le Zénith, déjouant la vigilance des gros bras de la sécurité. Face aux gamines déchaînées, ceux-ci ne savent pas trop quelle attitude adopter. Impossible de les repousser brutalement, comme ils le feraient avec des amateurs de heavy metal échauffés par l'abus de bière...

– Manquait plus que ça ! maugrée Max.

Le manager s'élance pour gagner l'abri de la limousine, entraînant Lydia dans son sillage. Au même moment, une brèche lézarde le cordon de sécurité. Les ados se faufilent entre les pattes des gorilles, vite dépassés.

L'hystérie est à son comble. La sueur étale le mascara sur les joues des groupies trop maquillées. L'une d'elles, un peu boulotte mais animée d'une incroyable énergie, réussit à atteindre Lydia avant qu'elle ne s'engouffre à l'arrière de la voiture. Brandissant un carnet aux pages lisérées d'or et un stylo à plume, elle se met à hurler :

– Lydia ! C'est Marjorie, la présidente de ton fan-club ! Le concert était vraiment génial. Pour l'interview, on la fera par mail, j'ai vu ça avec ton attachée de presse. En attendant, ça serait super sympa si tu voulais bien signer mon livre d'or…

Dans son excitation, Marjorie, haletante, ne retient plus ses pleurs.

Un court instant, Lydia contemple, hébétée, le visage de sa fan dévasté par l'émotion. Des centaines de visages se superposent à celui de l'adolescente aux joues rondes, tous surgis des tréfonds de sa mémoire. Impossible de mettre un nom sur un seul d'entre eux !

C'est plus qu'elle n'en peut supporter. Elle craque, incapable soudain de contenir plus longtemps la pression accumulée depuis des semaines.

Un barrage cède dans son esprit, une gigantesque vague d'émotion balaye tout sur son passage – pensée, raison, logique sont emportées.

D'un geste, Lydia arrache le stylo de la main de Marjorie. Au lieu d'orner de son autographe la page offerte, elle écarte brusquement le carnet et balafre la joue de l'adolescente en hurlant :

– Lâche-moi ! Fichez-moi la paix, tous ! Dégagez !

Max réagit alors au quart de tour. Poussant Lydia dans l'habitacle de la limousine, il commande au chauffeur de démarrer illico, tout en pianotant sur son portable le numéro des urgences.

Tétanisée, Jenny n'a pas eu le temps de monter dans la voiture qui s'éloigne en fendant la foule.

Une main toujours agrippée à son carnet, Marjorie regarde disparaître le luxueux véhicule au bout de l'allée, trop excitée encore pour ressentir la douleur. Un filet de sang se mêle à son mascara qui a coulé.

– Lydia... balbutie-t-elle. Ly... Lydia ! Po... pour Marjorie... Lydia !

3

Le visage d'une femme blonde emplit presque entièrement l'écran de l'ordinateur portable posé sur la table basse.

– *Ma chérie ! Est-ce que ça va ?*

Lydia s'arrange pour sourire face à la webcam. Elle s'attendait à cette question.

– Oui, je suis juste un peu stressée. Rien de grave.

Inutile d'alarmer sa mère – que pourrait-elle faire pour elle de toute manière depuis l'autre bout du monde ?

Debout près du canapé, un verre à la main, Max l'observe en silence. Deux plis soucieux encadrent sa bouche.

Une heure plus tôt, à peine débarqué dans la suite du Hilton, il s'est isolé dans sa chambre pour appeler Angela et lui rendre compte de la situation. De retour dans le salon, il a proposé à sa jeune protégée d'avoir une conversation avec ses parents.

Avec le décalage horaire, c'est déjà le matin au Cambodge. Un rayon doré éclaire d'ailleurs le profil de la mère de Lydia, qui reprend :

– *Angela s'inquiète pour toi. Elle aimerait que tu te reposes, mon cœur.*

– Je dois encore enregistrer quelques émissions télé et tourner le clip de mes prochains titres à Los Angeles. Après, je viendrai vous retrouver, papa et toi... J'ai tellement hâte, si vous saviez !

– *Ça nous fera très plaisir, ma chérie. Mais Angela pense que tu es surmenée. Il vaut mieux que tu repousses tes tournages, le temps de recharger tes batteries. C'est plutôt une bonne idée, non ?*

Un bref instant, Lydia croit avoir mal entendu. Comment sa mère peut-elle prendre la situation avec tant de légèreté ? Ne voit-elle pas combien sa fille unique souffre de leur séparation ?

Trois ans. Cela fait bientôt trois ans qu'elle doit se contenter de conversations avec ses parents par webcam interposée.

– Puisque je te dis que je vais bien ! lance-t-elle, excédée. Je n'ai pas besoin de me reposer ! Je veux juste vous rejoindre, ce n'est pas difficile à comprendre !

Elle réalise, trop tard, avoir crié sa réponse. D'une voix stridente.

Et si sa mère avait raison ? Si elle était vraiment victime de surmenage ?

– *Je sais que c'est difficile à gérer, ma chérie, surtout à ton âge, loin de la maison...*

La maison! Lydia n'en a jamais eu, toujours trimballée à gauche à droite, aux quatre coins du monde, d'aussi loin qu'elle se souvienne. Avec des parents globe-trotters, incapables de rester plus de six mois dans le même pays, elle n'a guère eu le choix.

Bien sûr, cette vie de bohème lui a permis de s'habituer très tôt au rythme des tournées mondiales, la préparant à son futur métier d'icône musicale planétaire. Elle ne va pas s'en plaindre, mais tout de même sa mère pourrait faire attention aux mots qu'elle emploie! On dirait qu'elle n'est pas pressée de fêter leurs retrouvailles.

Enfin, cela n'a pas de sens, Lydia doit encore s'imaginer des choses...

Peut-être que sa mère a raison, finalement. Aussi, résignée, elle demande :

– Qu'est-ce qu'Angela propose?

– *Un petit séjour en Suisse dans une clinique privée, loin de l'agitation des médias.*

Cela ressemble à une mise à l'écart. La big boss doit s'inquiéter pour sa santé et sa réputation, songe Lydia. Pendant ces trois années hors du cercle familial, Angela a tenu auprès d'elle le rôle de mère de substitution. Bien qu'elle soit constamment en déplacement pour gérer ses affaires, elle s'est montrée disponible chaque fois que Lydia avait besoin de confier ses doutes ou ses craintes. Il y a ainsi eu de nombreux appels passés au cœur de la nuit, avec la certitude que cette voix au bout du fil saurait apaiser les tensions.

Alors, autant continuer à lui faire confiance. Angela sait ce qui est bon pour elle, plus encore que sa propre mère…

– Où ça, en Suisse ? relance-t-elle d'un ton adouci.

– *En montagne, au bon air des alpages. Rien de tel pour te reposer !*

– Tout est déjà arrangé, je suppose…

– Un hélicoptère nous prendra à l'aéroport demain, intervient Max en consultant sa montre. Ou plus exactement dans un peu moins de six heures. Tu ferais mieux d'aller te coucher.

– *Max a raison,* renchérit la mère de Lydia. *Comme toujours ! Je t'embrasse très fort, ma chérie. Je pense à toi. Ton père aussi. Tu le connais, il n'a pas résisté à l'appel des premiers rouleaux… Crois-en mon expérience, n'épouse jamais un surfeur !*

L'image se fige sur cette ultime recommandation en guise d'au revoir.

Puis l'écran redevient noir.

Lydia s'apprête à gagner sa chambre quand elle s'immobilise sur le seuil du salon. Un poids terrible s'abat soudain sur ses épaules. Elle se tourne vers Max et demande d'une voix blanche :

– Est-ce qu'elle va bien ?

Le manager fronce les sourcils. Il n'est pas certain d'avoir compris à qui Lydia faisait allusion. La fatigue ne l'a pas épargné, lui non plus.

– Oh, fait-il après quelques secondes d'hésitation, tu veux parler de la présidente de ton fan-club ? Elle en sera quitte pour une grosse égratignure, rien de méchant. Je lui ferai envoyer un bouquet avec ton dernier album dédicacé et une invitation pour ton gala de rentrée. On devrait éviter le procès.

– Tant mieux, alors. Bonne nuit.

– Bonne nuit. Ne flippe surtout pas.

Lydia – est-ce un nouvel effet de son malaise ? – ne lui trouve pas un air convaincant lorsqu'il ajoute :

– Tout va bientôt rentrer dans l'ordre.

Bienvenue sur le blog de Marjorie

Lydia forever!

Je n'ai pas réussi à obtenir un autographe de Lydia, mais je rapporte quand même un souvenir impérissable de ma rencontre avec elle...
Pour info, je suis passée en mode « ironie » pour ce post!
Le concert était génial, rien à dire à ce sujet. J'ai juste regretté de ne pas être autorisée à prendre des photos. Vous savez avec quelle jalousie l'entourage de Lydia veille sur son droit à l'image...
Bref, je me suis bien éclatée depuis la loge VIP où j'avais une vue plongeante sur la scène. Après deux heures de show magique, Lydia a terminé sur *Shake It All*, avec tous ses danseurs (Wu est toujours aussi craquant!). J'ai alors rejoint les coulisses grâce à mon « pass backstage ». Mais Lydia avait déjà filé dans sa loge et Jenny, son attachée de presse, n'a pas pu m'arranger l'interview promise.

Qu'à cela ne tienne, je ne me laisse pas démonter aussi facilement! J'avais étudié les lieux sur le Net et je connaissais le moyen d'accéder à la sortie des artistes. Je n'étais pas la seule, une cinquantaine d'autres super fans avaient repéré la limousine de notre star « adorée » (vous comprendrez bientôt pourquoi j'utilise des guillemets) et s'étaient infiltrés dans l'allée à l'arrière du Zénith.

Environ une heure plus tard, Lydia est apparue, entièrement vêtue de noir. Ça a été du pur délire! On était toutes si excitées qu'on lui a foncé dessus malgré les gros bras de la sécurité. J'ai eu de la chance à ce moment-là, j'ai atteint Lydia la première.

J'ignore ce qui s'est passé ensuite. Tout est allé très vite. J'ai été bousculée, ça criait de tous les côtés, j'étais comme en transe face à Lydia, j'aurais pu la toucher, je lui ai tendu mon stylo fétiche pour qu'elle signe un autographe...

Je ne me souviens plus de ce que j'ai dit. Mais je me rappelle parfaitement les mots prononcés par Lydia. Je ne m'attendais pas à ça. Sachez qu'ils m'ont fait très mal, beaucoup plus que le coup que j'ai reçu dans la foulée et qui m'a laissé une légère cicatrice sur la joue.

Bref, j'ai fini la nuit aux urgences de l'hôpital de Hautepierre, dans la banlieue de Strasbourg, à me demander pourquoi les choses avaient aussi mal tourné.

Je ne comprends pas le geste de Lydia et je ne suis pas sûre que je lui pardonnerai un jour!

☹ ☹ ☹

Tite-Nana

C'est peut-être un burn-out ? J'ai vu un reportage
sur le sujet, il paraît que plein de gens craquent à
cause de la pression dans leur boulot. Lydia doit
sûrement s'en vouloir à mort.

Camille

Camille a raison, tu devrais attendre de reparler
à Lydia avant de te faire une idée, ça serait trop
triste que tout s'arrête comme ça, tu es quand
même sa fan number one !

Laetitia

4

Vue du ciel, la Suisse ressemble à un décor de cinéma pour film de fantasy, avec ses successions de vertes vallées encaissées, ses pics saupoudrés de neiges éternelles scintillant sous le soleil et ses villages traditionnels accrochés aux flancs des montagnes. Pour un peu, Lydia s'attendrait à ce qu'un troll surgisse de sous chaque pont !

Mais c'est peut-être l'effet du cachet avalé avant de grimper dans l'hélicoptère. Voler l'a toujours angoissée – ça n'a rien de naturel pour une créature dénuée d'ailes et de plumes...

Elle se sent encore tout engourdie au moment de l'atterrissage. Le médicament devait vraiment être costaud, plus que les habituelles pilules anti-trac qui l'aident à grimper sur scène certains soirs. Max est obligé de la soutenir pour parcourir la cinquantaine de mètres jusqu'à la grande berline aux vitres teintées qui patiente, solitaire, en bordure de la route.

Le chauffeur a le crâne rasé, la nuque épaisse et des biceps comme des boules de bowling. Sûrement un adepte de la gonflette, note Lydia malgré l'état de somnolence dans lequel elle se trouve. Pas très avenant, d'autant qu'il ne décroche pas un mot durant le trajet jusqu'à la clinique.

Entre deux plongées dans les bas-fonds du sommeil, Lydia observe le paysage. Monotone, avec ses alignements de sapins noirs, ses amas de roches moussues parfois arrosées par le jet bondissant d'une cascade et, de temps à autre, un mignon petit chalet de conte de fées, blotti dans un nid de verdure...

Elle éprouve un moment une impression de déjà-vu, mais il ne peut s'agir que d'un dérèglement de ses sens abusés par la pharmacopée. Car elle est certaine de n'avoir jamais mis les pieds en Suisse.

Elle s'en souviendrait dans le cas contraire, n'est-ce pas? À moins qu'on puisse oublier une virée dans les alpages aussi facilement que le nom d'une ville, comme hier soir?

Peut-être qu'en se concentrant davantage elle ferait rejaillir un souvenir enfoui en rapport avec ce qu'elle a sous les yeux? Elle s'y efforce, en vain, renonce quand elle sent poindre un début de migraine.

Très vite, la route se réduit à une interminable suite de lacets, tous plus serrés les uns que les autres. Le trafic est quasi nul. Hormis un camping-car bricolé, une vieille caisse de caravane soudée au plateau d'un camion aux ailes mangées par la rouille, la puissante berline ne croise aucun véhicule.

Difficile d'imaginer un coin plus paumé ! Angela n'aurait pas pu choisir meilleur endroit pour isoler sa jeune poule aux œufs d'or, songe Lydia alors que ses idées commencent à s'éclaircir.

– On arrive bientôt ? demande-t-elle d'une voix pâteuse.

Le chauffeur lui renvoie un grognement indistinct.

– Ce ne sera plus très long, indique Max, l'œil rivé au cadran de sa montre.

– Tu as l'air de connaître. Tu es déjà venu ?

– Hon hon, lâche le manager.

Lydia devra se contenter de cette réponse laconique. Elle préfère ne pas insister, d'autant qu'il lui semble apercevoir leur destination à travers un rideau de conifères aux aiguilles bleu foncé.

Un mur surmonté de piques métalliques protège l'accès à la propriété. La grille s'ouvre automatiquement au passage de la berline. Un court chemin trace une boucle à travers un parc magnifiquement entretenu. Bien que domestiquée, la nature y conserve un petit air sauvage. Plusieurs promeneurs errent dans les allées. De fantomatiques silhouettes en blouse blanche accompagnent leurs pérégrinations.

Il règne un calme étrange dans les environs, comme si le temps s'écoulait au ralenti. Cette impression vient sans doute du contraste avec le rythme effréné des dernières semaines de tournée, songe Lydia. Quoi qu'il en soit, l'endroit paraît propice à une retraite loin de l'agitation des foules.

La clinique se fond harmonieusement dans le paysage. Le corps principal du bâtiment, en pierres grises ornées de moulures aux motifs floraux, élève ses deux étages à hauteur des cimes des plus grands arbres. Les dépendances s'étendent jusqu'en lisière de la forêt, toute proche.

À nouveau, ce sentiment de déjà-vu qui la taraude…

Une boule d'angoisse durcit au creux de son estomac. Un vertige la saisit, l'abandonnant au bord de la nausée quand la voiture s'arrête devant les marches du perron.

Le malaise se dissipe aussitôt qu'un peu d'air frais s'introduit dans l'habitacle.

Fichu médoc !

Un homme corpulent patiente au sommet de l'escalier, les mains enfoncées dans les poches d'une veste de velours sombre. Avec son nœud papillon et sa barbe clairsemée aux reflets blonds, il dégage une bienveillante autorité, vite confirmée par son discours :

– Bienvenue, Lydia ! Ravi de t'accueillir dans notre établissement. Je suis le docteur Beller.

Derrière les verres des lunettes rondes, l'œil, vert pâle et vif, pétille.

– Quel genre de docteur êtes-vous ? demande Lydia, sur la défensive malgré elle.

– Le genre indiqué pour prescrire une bonne cure de repos aux patients surmenés, rétorque Beller avec un sourire calibré au millimètre. Je te conduis jusqu'à ta chambre, enchaîne-t-il. Tu verras, elle est agréable. Angela m'a recommandé de prendre soin de toi. C'est un honneur de recevoir une véritable star !

Il ne va tout de même pas réclamer un autographe, s'inquiète Lydia, songeant au regrettable épisode de la veille au soir. Non, pas un docteur...

D'un claquement de doigts, Beller capte l'attention du chauffeur.

– Tibor, les bagages !

Puis, enveloppant l'épaule de Lydia dans une de ses larges paumes, il l'invite à le suivre en douceur, mais sans lui laisser la possibilité de refuser.

– Par ici. Je suis sûr que tu n'oublieras pas ton séjour chez nous.

– Ça m'arrangerait, docteur, parce que j'ai tendance à perdre la mémoire ces derniers temps...

– Je crois que nous n'aurons pas de difficultés avec toi. Je te promets que d'ici la fin de la semaine tout sera rentré dans l'ordre là-dedans, précise-t-il en pointant l'index sur la tempe de la jeune fille.

Ma parole, ils se sont passé le mot avec Max, ou quoi ? s'étonne Lydia. La veille, en effet, le manager a employé une expression identique pour tenter de la rassurer. S'il s'agit de mettre de l'ordre dans son esprit, c'est donc qu'il est dérangé !

Pourtant, le problème ne tient pas à la façon dont ses pensées s'organisent, mais au fait qu'elles se désagrègent, plus friables que de la cendre, quand son cerveau les sollicite.

Le docteur Beller pense-t-il qu'elle est folle ? Cela expliquerait qu'on l'ait conduite dans cette clinique qui ressemble à un asile...

5

— Nous appliquons certaines règles, pour la tranquillité de nos pensionnaires, explique Beller au moment de franchir le seuil de la chambre, qui peuvent paraître un peu strictes, mais elles ont leur utilité.

— Par exemple ? demande Lydia, toujours sur la défensive.

— Pas de téléphone portable, ni de connexion internet. Pour être efficace, la retraite doit être totale. Le monde continuera à tourner sans toi deux ou trois semaines !

Même si les derniers mots ont été prononcés sur le ton de la plaisanterie, Max se met à tousser, visiblement gêné. Lydia ne lui laisse pas le temps d'intervenir et s'exclame :

— Trois semaines ! Vous êtes sérieux ? Ce n'est pas du tout ce qui était prévu !

– La durée du séjour n'est pas encore déterminée, reprend Beller. Toutefois c'est à moi d'en décider. J'ai l'accord d'Angela pour définir le meilleur traitement...

Lydia ne l'écoute plus. Furieuse, elle apostrophe Max :

– Je veux parler à Angela. Immédiatement !

Le manager interroge Beller du regard. Le docteur opine, souriant.

– Un dernier appel, dit-il. Je n'y vois pas d'inconvénient.

Max sélectionne le premier nom dans le répertoire de son BlackBerry, à la lettre A. Aucune indication n'apparaît à l'écran. Le numéro personnel d'Angela est tenu secret par l'agence. Chaque fois qu'elle a souhaité lui parler, Lydia a dû opérer de la même façon. Cela ne l'a jamais dérangée, dans la mesure où elle-même n'apprécierait pas d'être importunée à tout bout de champ par ses fans s'ils savaient comment la joindre directement.

La big boss décroche avant la fin de la deuxième sonnerie. Sa voix résonne dans le haut-parleur du Smartphone :

– *Max. Tu es à la clinique...*

Il ne s'agit pas d'une question mais d'un simple constat. Angela sait toujours à qui elle a affaire quand son téléphone sonne !

– *Il y a un problème ?*

– Lydia souhaite te parler. Elle est à côté de moi. Le docteur Beller est là, lui aussi.

– *Bonjour, docteur. Bonjour, Lydia. Que se passe-t-il ? Tu as un problème, ma grande ?*

Dès le début de leur relation, Angela a pris l'habitude de cette familiarité. Pourtant, à ce moment-là, Lydia ne dépassait guère le mètre cinquante ! Aujourd'hui, grâce à un régime approprié, elle a atteint sa taille adulte, tout en conservant une minceur adolescente qui rend ses fans jalouses et nourrit les fantasmes de nombreux garçons.

– Pitié, ne me laisse pas moisir ici le reste de l'été ! implore-t-elle. Je serai au top pour le gala de septembre. J'ignore ce qui m'a pris hier, à Strasbourg...

– *J'aurais préféré que tu me rappelles quand je te l'ai demandé, ma grande,* coupe Angela. *On aurait évité d'en arriver là. Les derniers rapports de Max m'ont inquiétée. Nous avons vu venir la crise sans réussir à l'empêcher. C'est notre faute. Nous devons veiller sur toi, sur ton bien-être. Tes parents t'ont confiée à moi. Je n'ai pas le droit de les décevoir, tu comprends ?*

– Oui. Je suis désolée pour cette pauvre fille...

– *Elle s'appelle Marjorie. Et elle a seize ans. Elle est plus vieille que toi.*

– Franchement, ce n'était pas évident. Et puis, tout s'est déroulé si vite ! Je sais que j'ai dérapé, mais je n'en pouvais plus ! Encore une fois, je suis désolée pour Marjorie. Il doit y avoir un moyen de me faire pardonner...

– *C'est une fan assidue. Elle préside ton fan-club en France, son blog fait autorité pour ce qui concerne ta vie et ta carrière. Elle t'admire plus que tout, ce sera néanmoins difficile de réparer ton erreur, quoi qu'il en soit je m'y emploie.*

– Tu lui as déjà parlé ?

– J'ai appelé chez elle ce matin pour présenter des excuses officielles, au nom de BEST.

Sans doute pas de gaieté de cœur, devine Lydia. La big boss déploierait-elle autant d'efforts si elles n'avaient pas noué une relation aussi solide au cours des trois dernières années ?

– J'attends que tu te reprennes, ma grande, poursuit Angela. Écoute le docteur Beller. C'est un spécialiste de la remise en forme. Je compte sur toi pour ne pas nous décevoir.

Le coup est rude, mais mérité.

– OK, je te promets de faire un effort.

– J'aime mieux ça ! Allez, bisou, ma grande. Au revoir, docteur. Max, ne raccroche pas. Il faut qu'on règle quelques détails.

Le manager coupe le haut-parleur et s'éloigne dans le couloir parqueté, son BlackBerry collé à l'oreille.

Beller affiche alors un air complice pour déclarer à sa jeune patiente :

– Angela tient beaucoup à toi, tu sais. Nous avons pas mal discuté de ton cas, elle et moi. Tu as un grand talent, Lydia, un énorme potentiel, c'est indéniable. Ce serait dommage de compromettre ta carrière parce que tu n'as plus « les idées claires », pour te citer. Mais si tu m'accordes une entière confiance, que tu acceptes mes méthodes sans les discuter, je te promets que tu seras vite de retour au top. Parce que ta place est là, Lydia, et nulle part ailleurs. Crois-moi, c'est pour ça que tu es née !

6

La chambre n'a rien de tape-à-l'œil avec sa déco minimaliste, dans le plus pur style zen, ses murs blancs immaculés et son écran large accroché face au lit.

Au moins, il y a la télé! se rassure Lydia. *Les journées paraîtront moins longues...*

Sauf qu'aucune télécommande n'est visible nulle part.

Anticipant toute question, le docteur Beller fournit des explications :

— Nous avons des milliers de films en stock. Tu choisiras ceux que tu veux voir.

— Pas de chaîne musicale ?

— Non. Rien qui puisse te rappeler ton quotidien !

La plaisanterie tombe à plat.

Comme Lydia affiche une expression consternée, le docteur précise :

– Il faut se couper du monde, faire table rase pour se reconstruire efficacement. Je ne voudrais pas que les mauvaises nouvelles du journal télévisé sapent le moral de mes patients !

– Est-ce que nous sommes nombreux ? s'enquiert Lydia, songeant aux silhouettes erratiques entraperçues plus tôt dans le parc. Il y a d'autres jeunes de mon âge ?

Avec un peu de chance, elle pourra rencontrer une fille pas trop nulle avec laquelle discuter, ou, mieux encore, un mec plutôt mignon avec lequel flirter.

– C'est le genre d'information que je préfère ne pas divulguer, biaise Beller. Question de confidentialité. Les gens viennent ici pour y trouver l'oubli, pas pour lier connaissance.

Cette dernière phrase ressemble à un avertissement, sinon à une menace. Soudain, Lydia se rend compte de ce qui l'attend pour les jours à venir – les semaines, même : un isolement complet, loin de son public et de sa famille (même si dans ce dernier cas, ça ne change pas grand-chose !).

Elle aimerait protester, refuser cette réclusion forcée, mais le retour de Max la prend de court.

– Angela t'embrasse, dit-il, et te demande de lui faire confiance... Comme toujours !

L'allusion arrache un demi-sourire à Lydia. Chaque fois qu'elle a eu besoin d'elle, pendant les moments de doute ou de baisse de moral, Angela a su lui apporter le réconfort indispensable ; sans parler, bien sûr, des solutions aux problèmes professionnels.

– Remercie-la de ma part, lâche-t-elle en s'effor-çant de sourire avec naturel.

– Je n'y manquerai pas. Bon, il faut que j'y aille...

Max semble pourtant hésiter à tourner les talons. Une lueur inquiète voile son regard. Si elle ne le connaissait pas, Lydia jurerait qu'il est sur le point d'écraser une larme.

Avant qu'elle ne réagisse, le manager se précipite pour l'étreindre avec fougue et plaquer un baiser sonore sur sa joue.

– Tout se passera bien, c'est promis, lui souffle-t-il au creux de l'oreille.

Interloquée, Lydia ne sait pas quoi répondre. Max n'a jamais été coutumier de pareil élan de tendresse, alors pourquoi a-t-il...

La main du docteur Beller s'abat sur l'épaule du manager, rompant l'embrassade et coupant court aux pensées de Lydia.

– Tibor va vous reconduire à l'héliport. La nuit tombe vite sur la montagne.

Après le départ de Max, la chambre paraît encore plus sinistrement dépouillée. Par certains aspects, elle évoque une cellule de moine – de luxe, peut-être, mais une cellule quand même !

Allons, c'est idiot de penser un truc pareil, se mori-gène Lydia. *Je suis encore sous l'effet du tranquillisant avalé pour le vol en hélico, je ne vois pas les choses sous leur meilleur angle. Je ferais mieux de déballer mes affaires, ça m'aidera à chasser ces idées déprimantes...*

Quelques minutes suffisent à vider les deux grandes valises et à remplir la penderie découverte derrière un panneau coulissant.

Contempler l'alignement des tenues griffées, cadeaux des grands couturiers à la jeune ambassadrice de leur marque, apaise Lydia. Chaque vêtement évoque un souvenir précis – tournage d'un clip, soirée en boîte, showcase privé, autant de jalons sur le chemin ascendant du succès.

Quel soulagement de constater que sa mémoire ne s'est pas entièrement vidée !

Ce petit top en lamé, par exemple... Sexy et provocant, Lydia l'a porté pour le clip de *Heart on Fire*, son titre le plus chaud, dans tous les sens du terme ; le délire, quand le décor s'est soudain enflammé suite à un mauvais réglage de la machine à fumée ! Les techniciens se bousculaient, les danseuses poussaient des cris aigus. Seul Wu est resté calme dans la panique générale. Il a étouffé le départ d'incendie sous le manteau de cuir de son costume, avec des gestes sûrs.

Un pompier a surgi juste à ce moment-là, l'air aussi affolé que la troupe, bredouillant des excuses. Une crise de fou rire général a conclu l'incident. En y repensant, Lydia parvient à se détendre.

Rassérénée, elle décide de se faire couler un bain. Avec beaucoup de mousse et ses sels préférés, rien de tel pour décompresser...

Dès qu'elle pénètre dans la salle d'eau, l'anomalie lui saute aux yeux. Le miroir! Ou plutôt, son absence. Il n'y a rien au-dessus du lavabo, qu'une terne surface de carreaux en faïence grise.

Il a dû y avoir des travaux, et les ouvriers n'ont pas eu le temps de tout remettre en place...

Elle hésite un quart de seconde avant de ressortir en trombe pour demander à Beller d'y remédier.

Arrivée face à la porte d'entrée, elle se fige, interdite. Il ne manque pas seulement le miroir de la salle de bain. Il n'y a pas non plus de poignée de son côté de la porte!

C'est une blague, ou quoi? D'abord le miroir, ensuite la poignée... Et après? Bon, il y a forcément une explication logique. Pas la peine de paniquer, réagis comme Wu face aux flammes, reste cool...

Mais Lydia a beau tâtonner le long du chambranle, à la recherche d'un mécanisme d'ouverture, elle ne trouve rien. Elle se met alors à tambouriner et appeler :

– Je suis enfermée dans ma chambre! Vous m'entendez? Je voudrais sortir! Ouvrez-moi! S'il vous plaît, il y a quelqu'un? Ouvr...

Des pas précipités, soudain, dans le couloir. Un déclic au niveau de la serrure invisible de son côté. Enfin, la délivrance!

Pas celle escomptée, toutefois.

Deux infirmiers en blouse immaculée font brusquement irruption dans la chambre, la repoussant sur le lit sans ménagement.

– Vous êtes cinglés ! s'écrie Lydia, trop ulcérée par ce comportement pour s'inquiéter. Qu'est-ce qui vous prend ? Appelez le docteur Beller ! Ça ne va pas se passer comme ça…

La gifle vole sans avertissement. C'est comme une brûlure sur sa joue. Des larmes brouillent sa vue. Jamais personne n'a levé la main sur elle. Sidérée, Lydia assiste à la suite des événements comme une simple spectatrice.

– C'est bien, murmure un infirmier. Tu vas être une gentille fille et te laisser faire sans résister.

Son collègue tire en silence d'une poche de sa blouse une seringue et un flacon oblong empli d'un liquide ambré. Tranquillement, il enfonce l'aiguille à travers la capsule hermétique de l'ampoule.

La panique afflue alors par vagues dans l'esprit de la jeune fille. Elle est victime d'une monstrueuse erreur, ils la confondent avec une autre, une patiente difficile du docteur Beller, il y a quiproquo…

Mais les mots butent contre un obstacle invisible en franchissant ses lèvres et s'entrechoquent mal-adroitement :

– Je ne suis pas… Vous avez… Une minute ! Ce n'est pas moi…

L'infirmier soupire en secouant la tête.

– Quelle pimbêche ! Je ne comprends pas ce que les gamins lui trouvent. Toujours à la ramener !

Une seconde gifle part aussi vite que la première. C'est tout juste si Lydia perçoit le mouvement de l'énorme main, le claquement sec au contact de sa joue. La douleur éclate, plus cuisante encore.

– Relève sa manche et tiens-lui le bras, commande l'homme à la seringue. Empêche-la de se débattre.

La suite se déroule dans un brouillard de larmes et la plus totale confusion. Une poigne de fer maintient Lydia plaquée contre le matelas. Quelque chose de froid et humide entre en contact avec le creux de son coude. Puis c'est au tour de l'aiguille – une brève piqûre et tout devient flou.

Le plafond de la chambre s'éloigne d'un coup, comme aspiré par le ciel.

Avant le noir complet.

Lydia forever!

Des news, mes fidèles lecteurs adorés!
J'ai reçu un coup de fil de la grande patronne de l'agence BEST en personne, qui m'a présenté des excuses officielles! J'ai aussi reçu des fleurs et un CD dédicacé, livrés spécialement par coursier à domicile.
Pour se faire pardonner son geste, Lydia est prête à m'accorder une interview exclusive en tête-à-tête, dans un palace parisien, où je serai invitée pour un séjour tous frais payés... La classe!
Vous en saurez bientôt davantage. Il faut que je prépare mes questions. J'ai tant de choses à lui demander! Et surtout, je dois la jouer professionnelle, comme une vraie journaliste...
Bon, vous me direz ce n'est que justice après ce qui m'est arrivé, mais je n'aurais jamais osé espérer un truc pareil! C'est tellement énorme!!!

N'hésitez pas à répandre l'info : bientôt, Lydia se livrera à cœur ouvert et ça se passera dans les pages de ce blog et nulle part ailleurs !

Tite-Nana

Pas mieux que Tite-Nana ! Du pur bonheur, j'ai super hâte !

Laetitia

Gé-Ni-Al !!!

Aurélie

Je lis ce blog depuis le début et j'interviens pour la première fois pour dire à quel point je suis heureux pour toi Marjorie et pour tous les autres admirateurs de Lydia (il y a aussi des mecs !) alors encore bravo et à très vite pour l'interview.

K-Stor-Spatial

Voilà sans doute la meilleure nouvelle de la semaine, du mois, de l'année, de la décennie !

Camille

tro super vréman sa va dechiré !!!

lolotte-de-nancy

7

Lydia flotte, légère, aérienne. Parfois, elle rêve d'un mot, d'une image, d'un souvenir. Mais elle est incapable de les relier à une quelconque réalité.

Il y a par exemple l'éclat aveuglant d'un grand soleil d'acier allumé au milieu d'un ciel sans nuages…

« *Augmentez les doses, je crois qu'elle réagit. Je perçois une activité des globes oculaires.* »

Il y a aussi cette farandole de visages masqués, de regards protégés par de larges lunettes entièrement transparentes, verre et branches coulés dans le même moule…

« *Les constantes sont stables. Le rythme cardiaque un peu élevé, mais rien d'anormal. Injectez-lui 5 ml de kétamine.* »

Il y a encore la voix du docteur Beller, qui distribue des ordres…

« *Compresses. Épongez-moi le front, merci.* »

Il y a surtout l'impression d'une étrange disloca-tion, comme des griffes acérées déchirant des par-celles de son être…

« *Elle tachycarde. C'est trop long, je ne sais pas si son cœur va supporter l'opération.*

– Il faudra bien ! Je vous rappelle que nous n'avons pas le choix. Ajoutez 2 ml de kétamine. »

Il y a, enfin, l'abandon et la paix…

Plus tard.

Quand ?

Difficile à dire.

Une pulsation à l'arrière du crâne ramène Lydia à la conscience. Un bruit sourd, pareil à un gronde-ment, se déverse dans ses tympans.

L'écoulement de son propre sang dans ses veines, soutenu par le beat hypnotique de son cœur, mixé sur une piste annexe…

Mais elle n'est pas en studio !

À moins que ?

Tâtonnements du bout des doigts sur la toile lisse d'un drap…

Un lit, elle se trouve dans un lit, allongée sur le dos, ça ne fait plus aucun doute.

Ce bourdonnement dans sa tête ! Il ne s'arrêtera donc jamais ?

Si, on dirait bien qu'il s'atténue à mesure que la mémoire lui revient.

Elle se revoit sur scène, encadrée par la troupe de ses danseurs, conduite par Wu. Les garçons, athlétiques, virevoltent autour d'elle sous les feux des projecteurs. Elle se déhanche au rythme endiablé de son dernier tube, *Shake It All*, qui cartonne en ce moment partout en Europe.

D'après la tracklist, c'est la fin du spectacle – l'apothéose.

La fin de la tournée, également.

Six mois qu'elle sillonne le continent, de Londres à Amsterdam en passant par Milan et Barcelone, Rome et Bruxelles, et tant d'autres villes encore...

Six mois d'une infernale pression qui lui pèse sur les nerfs, car elle se doit d'être toujours au top, parfaite, irréprochable, conforme à l'image peaufinée par BEST et vendue à des millions d'adolescents, déclinée sous toutes les formes : émissions de télé, CD et DVD, clips bien sûr, mais aussi posters, magazines, vêtements et accessoires de mode, boissons énergisantes, agendas, jeux vidéo, etc.

Lydia.

Sa silhouette, son visage, sa chevelure. Ses chansons, ses vidéos, ses apparitions en *guest-star* dans les séries les plus branchées.

Lydia par-ci, Lydia par-là, encore et toujours Lydia. Partout.

Jusqu'à l'overdose d'elle-même.

Jusqu'à craquer, nerveusement, ce soir-là, face à cette fan au physique ingrat – comment s'appelle-t-elle déjà ?

Marjorie, oui, voilà…

Stop image ! Ce n'est pas tout. Les choses ne se sont pas arrêtées là. Mais la suite demeure enfouie dans les brumes de son inconscient et elle est tellement, tellement fatiguée, que ses paupières se referment et qu'elle sombre à nouveau…

Encore plus tard.

L'éveil est cette fois plus rapide.

Lydia se trouve toujours allongée dans son lit.

Non, rectification, dans le lit de cette chambre impersonnelle, à la déco minimaliste, qui n'est pas la sienne même si elle lui paraît familière.

Il ne s'agit pas d'une chambre d'hôtel, elle ne ressemble pas à celles qui se sont succédé ces six derniers mois, jamais identiques et pourtant si semblables – Hilton de Londres, Madrid ou Berlin, quelle différence ?

Non, cette pièce vide n'appartient pas à un palace.

Si seulement elle pouvait tourner la tête et jeter un coup d'œil par la fenêtre, alors elle reconnaîtrait la ville…

L'effort lui arrache un cri de douleur. Elle a l'impression que son cou est prisonnier d'un carcan, une minerve sans doute. Au prix d'un terrible effort, elle parvient à se positionner face au rectangle de lumière pâle qui éclaire la chambre.

Amère déception…

À travers les carreaux de verre dépoli, rien qu'un pan de ciel gris déployé sur une ligne de verdure ondulante, peut-être la crête d'une colline boisée, ou d'une montagne.

La montagne ! Les alpages vus du ciel, pendant le trajet en hélico !

Peu à peu, les pièces d'un puzzle incomplet se rassemblent dans son esprit. Des lieux et des noms s'imposent à elle : la Suisse, la clinique du docteur Beller.

Clinique, docteur, des mots guère rassurants...

A-t-elle été malade ? Ou blessée ? Non, elle est certaine que non. Alors, pourquoi se retrouve-t-elle ici, alitée ? Pourquoi l'aiguille d'une perfusion s'enfonce-t-elle dans une veine de son avant-bras droit ? Pourquoi ses doigts sont-ils recroquevillés sous un bandage ?

De sa main gauche enrobée de gaze, Lydia explore avec précaution les courbes de son corps, à travers le drap et la couverture remontés jusqu'au cou.

Chacun de ses membres réagit à ce contact, à son grand soulagement. Un instant, elle a imaginé le pire, une attaque ou un accident qui l'aurait laissée à demi paralysée.

Cependant, elle éprouve un curieux malaise. Comme si elle n'était plus vraiment la même...

Une idée stupide, sans doute un effet secondaire de l'anesthésie subie durant l'opération.

L'opération ?

Lydia revoit maintenant avec clarté les masques des chirurgiens penchés sur elle, la grande lampe circulaire suspendue au plafond de la salle...

Elle entend distinctement les ordres lancés par le docteur Beller à ses assistants...

Une peur panique, irraisonnée, interrompt le cours de ses pensées. Une sueur glacée couvre son front. Soudain transie, elle se met à trembler de la tête aux pieds, incapable de contrôler ses mouvements.

Impuissante, affaiblie, Lydia ne cherche pas à retenir ses larmes.

Que m'est-il arrivé ? Que m'ont-ils fait subir ?

Bienvenue sur le blog de Marjorie

Lydia forever !

Les choses se précisent, mes fidèles lecteurs : je connais à présent la date de ma rencontre avec Lydia, mais j'ai promis de garder le secret alors il vous faudra patienter et venir régulièrement aux nouvelles ici même ou sur le site officiel de BEST. Sachez toutefois que je ne vais pas tarder à boucler ma valise et à partir pour Paris...

> Veinarde ! Comme j'aimerais être à ta place ! Je suis heureuse que tout s'arrange finalement au mieux. Bon voyage !
>
> *Aurélie*

> Tout pareil, éclate-toi et fais un gros, gros kiss à Lydia de ma part !
>
> *Laetitia*

Je suis limite jaloux, là ☺. Paris + Lydia en même temps, tu vas grave kiffer, Marjorie.

K-Stor-Spatial

Je te souhaite un bon voyage moi aussi et j'attends avec impatience que tu mettes en ligne la fameuse interview.

Camille

cé pa kool 2 nou fère bavé kom sa mai je sui kan mèm supair kontante !

lolotte-de-nancy

Faudra tout nous raconter avec les détails sur Lydia et je veux aussi que tu l'embrasses pour moi alors surtout n'oublie pas !!!

Tite-Nana

8

– Tu as l'air d'avoir correctement récupéré. Après quarante-huit heures de sommeil, rien d'étonnant ! Maintenant, il faut reprendre des forces.

Engoncé dans un costume trois-pièces, le docteur Beller a fait irruption dans la chambre en compagnie d'une infirmière poussant une desserte chargée d'un copieux petit-déjeuner.

– Qu'est-ce que vous m'avez fait ? demande Lydia.

Le timbre de sa voix est beaucoup plus grave qu'à l'ordinaire. Si elle n'avait pas elle-même prononcé ces mots, elle aurait pu jurer qu'ils n'étaient pas sortis de sa bouche.

– Chaque chose en son temps, élude Beller. D'abord, je veux te voir manger. Ensuite, je répondrai à tes questions.

Le sommier émet un grincement de protestation quand il s'assied au bord du lit.

– Je vais t'aider, dit-il en saisissant le poignet de Lydia pour guider sa main vers le verre de jus d'orange. De bonnes vitamines bien fraîches, voilà ce qu'il te faut !

La jeune fille aimerait protester, mais la soif l'emporte sur toute autre considération. La première gorgée s'avère une véritable bénédiction.

– Parfait, l'encourage le docteur. Bois encore, voilà… Pas de souci avec ta gorge ?

Lydia secoue la tête. Ça la gratte bien un peu… Rien d'insupportable, toutefois.

– Magnifique ! s'exclame Beller, apparemment très satisfait. Beurre et confiture d'abricots sur ta tartine ?

Il semble vraiment s'amuser, constate Lydia, décontenancée. Comme si tout cela n'était qu'un jeu pour lui – un jeu pervers, de son point de vue à elle.

– Comme vous voudrez, répond-elle du bout des lèvres, méfiante.

Beller hausse les épaules et étale une noisette de beurre sur une demi-tranche de pain grillé, avant de la recouvrir d'une épaisse couche de confiture. Puis, souriant de toutes ses dents, il approche un coin de la tartine des lèvres de sa patiente.

– Croque un morceau, tu dois avoir faim. Les poches de glucose maintiennent l'organisme en état de fonctionner, mais elles ne remplissent pas l'estomac, ajoute-t-il avec un geste en direction du cathéter toujours relié à l'avant-bras de sa patiente.

Au lieu de l'explosion de saveurs à laquelle Lydia s'attendait, elle ne garde de la bouchée qu'un arrière-goût fadasse, qui lui arrache une grimace.

– Hum, tes papilles subissent encore les effets de l'anesthésie, constate Beller. Ne t'inquiète pas, c'est provisoire. Allez, mords à nouveau là-dedans...

Lydia détourne brusquement la tête, soumettant les muscles endoloris de sa nuque à rude épreuve.

– Ça suffit! J'exige des explications. Vous n'avez pas le droit de me traiter de cette façon!

Elle laisse couler des larmes de frustration, aussitôt absorbées par le tissu des compresses appliquées sur ses joues. En reprenant conscience, ce matin, elle a senti les pansements adhésifs sur son visage, de même que le bonnet qui maintient sa chevelure prisonnière. Elle s'apprêtait à les retirer quand le docteur et l'infirmière sont entrés – à croire qu'ils attendaient qu'elle se réveille, cachés derrière la porte de la chambre.

– Détrompe-toi, rétorque Beller. J'ai tous les droits sur ta personne. Encore que ce dernier terme ne soit pas le plus approprié...

L'étrangeté de la remarque n'échappe pas à Lydia, mais elle est trop furieuse pour la relever. Se redressant sur son lit, elle explose :

– Tous les droits! Vous délirez ou quoi?

Le docteur recule en levant les mains au ciel, paumes tournées vers l'avant en signe de paix.

– Du calme, ça ne sert à rien de s'énerver... Je ne te veux aucun mal. Je te dis la vérité. Tout figure dans ton contrat.

Son contrat? Qu'est-ce que c'est que cette histoire de dingue?

Beller discerne sans doute sa perplexité, car il lui adresse alors une moue en apparence sincère.

– Écoute, reprend-il posément, détachant chaque syllabe, comme lorsqu'on tente de raisonner un enfant capricieux. Je suis sincèrement désolé qu'on en soit arrivés là, mais ce n'est pas moi qui ai pris cette décision. Je ne fais qu'obéir aux ordres.

Il faut à Lydia quelques secondes pour rassembler ses idées et renouer le fil de la conversation :

– Quels ordres ? De quoi parlez-vous à la fin ?

Au tour du docteur d'afficher une expression de franche incrédulité.

– Je croyais que tu connaissais les conséquences de l'incident de Strasbourg… ou, du moins, que tu les devinerais. Bon, à l'évidence, tu es dans le flou le plus complet, pas vrai ?

Comme Lydia hoche la tête, il se gratte la tempe d'un air gêné, avant de retirer ses petites lunettes rondes et de se masser l'arête du nez en soupirant.

– Je suppose que tu n'as jamais pris la peine de lire le contrat concocté par les avocats de BEST.

– Il contient des dizaines de pages, des centaines d'articles ! proteste Lydia. Je n'allais pas tout ingurgiter. En plus, c'est écrit dans un tel charabia…

– Tu n'as pas tort. La plupart des clauses ont été délibérément rédigées dans un jargon juridique incompréhensible pour le commun des mortels ! L'important, c'est que tout soit parfaitement légal. Tes parents ont signé pour toi, puisque tu es mineure. Tu appartiens entièrement à BEST. Ton image est la propriété de l'entreprise. Elle peut en faire ce qu'elle désire, dans son intérêt. Tu saisis ce que ça implique ?

– Mon image, répète Lydia. Oui, je comprends, enfin, je crois. BEST peut la reproduire sur n'importe quel support pour ma publicité...

– Ça va beaucoup plus loin, coupe Beller avec un geste excédé. Beaucoup plus loin! Max ou Angela ne te l'ont pas expliqué?

– Je me rappelle en avoir parlé avec Angela, un jour. Elle a surtout évoqué les avantages à devenir une icône pour la jeunesse du monde entier. Mes parents étaient ravis.

– Ça ne m'étonne pas. Angela Fauster n'a pas son pareil pour convaincre les gens. J'en sais quelque chose...

Le docteur grimace, comme s'il venait de mordre dans un fruit acide. Souvenir d'une mauvaise expérience avec Angela? Quoi qu'il en soit, l'évocation de la big boss ne semble pas le laisser indifférent. Il bondit soudain du lit et se met à tourner en rond dans la chambre, de plus en plus nerveux.

– Je me demande par où commencer, avoue-t-il.

– Le début conviendrait parfaitement, suggère Lydia, plus calme désormais, sa colère dissipée au profit de la curiosité, mais aussi d'une sourde appréhension qui lui fait redouter les révélations du docteur.

– Voilà, Angela a acheté tout ce que tu représentes. Y compris ton image au sens physique du terme. BEST en possède les droits exclusifs. Sans entrer dans les détails, les lois ont évolué à ce sujet ces dernières années, grâce à l'efficacité de groupes de pression qui agissent auprès des gouvernements et du Parlement européen. Des lobbies rémunérés par BEST, pour la plupart. Depuis des années, l'entreprise œuvre en sous-main pour infléchir la législation dans le sens de ses intérêts. Et ceux-ci sont démesurés, ils touchent tous les secteurs de l'économie, pas seulement le business du divertissement... Pour résumer, aujourd'hui il est possible de céder à une entreprise la gestion complète de son apparence. L'ancien droit à l'image, qui permettait à n'importe quel citoyen de refuser d'apparaître sur un document public, est devenu une marchandise comme une autre.

Malgré ses efforts, Lydia n'est pas certaine de suivre le raisonnement du docteur. Où veut-il en venir ?

– Dans le même temps, poursuit-il comme emballé par son propre discours, les technologies de la chirurgie réparatrice se sont considérablement développées. Rien de plus logique dans un monde où le paraître prime désormais l'être ! BEST a beaucoup investi dans ce domaine. Nous sommes même pionniers dans la recherche et l'expérimentation de diverses méthodes révolutionnaires...

Il s'interrompt d'un coup, se fige au milieu de la pièce et, prenant soin d'éviter le regard de sa patiente, il conclut :

– Mais je ne veux pas t'embêter avec des questions trop techniques. Maintenant que tu as pris conscience de la vérité, mon travail consiste à te la faire accepter.

– Accepter la vérité, répète Lydia, éberluée par ce qu'elle vient d'apprendre.

Découvrir la nature du pacte qui la lie à Angela a sérieusement ébranlé ses convictions. Elle pense aussi à ses parents, se rappelle leur joie à l'annonce des résultats du casting organisé par BEST. Parmi plusieurs centaines d'autres gamines rêvant de gloire et de reconnaissance, elle avait été choisie pour incarner la nouvelle égérie du groupe. Depuis, la vie de son père et de sa mère a viré au conte de fées. Ils ont pu s'offrir tout ce dont ils se contentaient de rêver jusque-là. Comment les en blâmer ? Qui aurait refusé de signer le contrat proposé dans de telles conditions ?

– Quelle vérité ? demande-t-elle encore, sentant les larmes affluer de nouveau aux coins de ses yeux.

– Tu ne peux plus être Lydia, lâche alors Beller. Sa carrière va désormais se poursuivre sans toi.

Elle comprend bien chacun des mots, mais pas le sens des phrases qu'ils forment. Comment ne pourrait-elle plus être Lydia ? C'est absurde !

– Je... je sais qui je suis, balbutie-t-elle, consciente du chevrotement de sa voix, annonciateur de sanglots.

– Peu importe *qui tu es*, objecte Beller. BEST ne s'intéresse qu'à *ce que tu représentes*. Angela a-t-elle cherché une seule fois à te connaître ?

La question déstabilise davantage Lydia. Elle doit fournir un effort considérable pour convoquer le souvenir de ses discussions avec la big boss. Au contraire de la scène du casting, celles-ci lui reviennent par bribes imprécises. Il s'agissait la plupart du temps de séances de travail, et parfois de conversations plus intimes, en forme de confidences entre filles.

Cependant Lydia prend conscience qu'elle était alors la seule à déverser ce qu'elle avait sur le cœur. Angela se contentait de l'écouter puis de la rassurer, sans jamais rien confier en retour à sa protégée, sans l'interroger sur ses motivations ou ses désirs.

— Non, finit-elle par admettre, la gorge serrée. Pour autant que je me souvienne.

— Tu vois. Mais c'est fini, à présent. Tu n'auras plus à te préoccuper de ces choses-là à l'avenir.

— Qu'est-ce… Qu'est-ce que ça signifie ? Vous… vous allez me faire… disparaître ?

— En un sens, oui. Oh, pas de méprise ! Je ne suis pas un assassin !

Le docteur force tellement ses zygomatiques que son sourire parodie celui du Joker, l'ennemi de Batman. Lydia sent son sang se glacer dans ses veines. Elle se recroqueville au fond de son lit et demande en tremblant :

— Qui êtes-vous exactement ?

— Ta seconde chance dans l'existence, assène Beller avec gravité. Celle qu'il te vaudra mieux ne pas manquer.

RENAISSANCE

Extrait de conversation téléphonique cryptée
entre Angela Fauster et le docteur Beller.

A. F. : L'opération s'est-elle bien passée ?

Dr B. : Hormis une légère arythmie cardiaque, vite corrigée, aucun problème. La patiente récupère normalement.

A. F. : Comment a-t-elle réagi au réveil ?

Dr B. : Comme on pouvait s'y attendre : nerveuse, effrayée... J'ai fait de mon mieux pour la rassurer et répondre à ses questions.

A. F. : Vous ne lui avez rien dévoilé de compromettant, au moins ?

Dr B. : Il a fallu que je lui explique certains aspects de la relation qui la lie par contrat à BEST. Quelques vérités pour mieux masquer la réalité. Mais n'ayez crainte, Angela, j'ai réussi à détourner son attention de l'essentiel. Je n'ai pas fait la moindre allusion au projet Mimesis. Et de toute manière, elle aura bientôt oublié ce que nous nous sommes dit.

A. F. : Je l'espère pour elle... Et pour vous, docteur !

Dr B. : Inutile de me menacer, Angela. Je maîtrise la situation, je vous assure. Mimesis est entré dans sa deuxième phase. Après l'aspect physique, l'aspect psychologique. D'ici une semaine, le premier sujet sera totalement reprogrammé et ne présentera plus le moindre danger pour le groupe BEST. Sa remplaçante entrera alors en scène.

A. F. : Ça, ce sera à moi d'en décider.

Dr B. : Bien sûr! Je ne voulais pas interférer...

A. F. : J'en suis certaine, docteur. Vous m'adresserez chaque jour un compte-rendu détaillé du traitement. Et vous vous abstiendrez à l'avenir d'évoquer le groupe avec votre patiente. Compris?

Dr B. : Oui, Angela, je suis...

A. F. : Parfait. À demain, docteur. J'attends votre appel.

Dr B. : Au rev...

I

Après sa conversation avec le docteur, elle pensait ne plus trouver le sommeil. Elle se trompait. À peine Beller avait-il quitté la chambre qu'elle replongeait dans les limbes, incapable de résister à l'attrait de Morphée...

– Bonjour mademoiselle. Il est temps de se réveiller. Vous avez bien dormi?

Elle ouvre péniblement les yeux, avec l'impression d'émerger du néant. Elle ne conserve aucune image de ses rêves, alors qu'elle en a pourtant l'habitude. Peut-être parce que sa vie a pris des allures de cauchemar éveillé...

Il lui faut quelques instants pour rassembler ses pensées, forcer les mots à franchir le rempart de ses lèvres.

– Je me sens tout engourdie, ânonne-t-elle d'une voix rauque, méconnaissable. Qu'est-ce qui m'arrive?

L'infirmière virevolte autour du lit, gracieuse et légère, pareille à une ballerine en blouse blanche. C'est du moins ainsi que la jeune patiente perçoit ses mouvements dans la brume de son cerveau. Elle se sent lourde, lente... comme en dehors du temps.

– Rien de plus normal, rassurez-vous. C'est l'effet du traitement administré par le docteur Beller.

– Quel genre de traitement ?

– Pour vous aider à recouvrer la mémoire. Les circonstances de votre hospitalisation vous paraissent floues, mais il n'y a pas de quoi s'inquiéter. Il faut du temps pour que tout se remette en place là-dedans.

L'infirmière pointe l'index sur sa tempe avant d'ajouter :

– Tout finira par s'arranger. Le docteur Beller peut accomplir de véritables miracles. Dans son domaine, c'est le meilleur !

Son domaine... Lequel, au juste ? Elle a beau faire un effort, elle ne parvient pas à s'en souvenir. Pourtant, ils ont eu une longue discussion, ici, dans cette chambre, le docteur et elle. Mais quand elle tente de se les remémorer, les détails de la conversation lui échappent.

Il y a pire encore. Lorsqu'elle évoque les événements qui l'ont conduite jusqu'ici, dans cette chambre aseptisée et nue, sa raison se heurte à un mur infranchissable.

Une certitude cependant, elle a dû subir un traumatisme crânien. À la suite de quoi ? Une agression ? Un accident de la route ? Une chute du haut d'un escalier ? Une bagarre avec son petit ami ?

À l'énoncé de ces hypothèses, aucune image ne lui vient à l'esprit. Les mots lui paraissent vides de sens. Et ce néant l'effraie plus que n'importe quelle perspective, même la plus atroce...

Son cœur se met à battre la chamade. L'infirmière lui tend alors un verre d'eau et trois petites gélules roses disposées en triangle dans le creux de sa paume.

– Ça va vous aider à reprendre pied avec la réalité. Vous devez vous sentir comme dans du coton, pas vrai ?

Elle ne peut qu'acquiescer, avant de déposer les comprimés sur sa langue et de les avaler en vidant le verre d'un trait.

– Il n'y a plus qu'à laisser agir, indique l'infirmière. Je repasserai dans un moment pour votre toilette.

Quelques pas cadencés et la voilà partie.

Curieuse, cette obsession pour la danse... Peut-être un message envoyé par mon subconscient ?

Son corps ressemble à celui d'une danseuse, avec ses longs membres musclés et déliés, constate-t-elle en soulevant le drap et la couverture. Mais une fois encore, elle ne peut être sûre de rien.

Sinon que les pansements et les ecchymoses sur son visage témoignent de la violence du choc reçu.

Me voilà bien avancée !

Elle essaie de trouver une position plus confortable dans le lit.

De la pointe des orteils jusqu'au sommet du crâne, une vague de feu se propage le long de ses nerfs pour embraser chacun de ses membres.

Quand elle s'immobilise, la souffrance s'atténue, puis finit par disparaître.

L'avertissement lui a suffi. Elle ne bougera plus, pas dans l'immédiat en tout cas.

Elle peut néanmoins faire fonctionner ses méninges. Ou du moins s'y efforcer...

Parce que le résultat n'est pas à la hauteur de ses espérances. Loin s'en faut. Plus elle s'acharne à sonder sa mémoire, plus elle a l'impression de se pencher sur un gouffre vertigineux...

Soudain, une effroyable évidence la frappe : elle ne sait plus comment elle s'appelle.

Elle a oublié qui elle est !

2

Un déclic dans la serrure. La porte sans poignée s'ouvre pour livrer passage à l'infirmière.

– Est-ce que vous vous sentez mieux, mademoiselle ?

Elle a les bras chargés d'un plateau sur lequel reposent une assiette couverte d'une cloche métallique, un gobelet en plastique et trois nouvelles gélules roses.

– Votre déjeuner, annonce-t-elle. Aujourd'hui, le chef s'est surpassé. Mais avant, il va falloir s'occuper de votre toilette, comme promis...

– Comment est-ce que je m'appelle ?

La question a jailli spontanément. Elle espère l'avoir posée sans trahir sa détresse.

– Je suis désolée, mademoiselle, répond l'infirmière avec une moue attristée. Le règlement de la clinique est strict. Les informations privées concernant les patients ne sortent pas de leur dossier. Et seul le docteur Beller y a accès.

– Il ne vous a pas donné mon nom ?

– L'endroit est réputé pour son extrême confidentialité. Nos clients sont très exigeants à ce sujet. La plupart sont célèbres, ils ne veulent pas être harcelés par des admirateurs.

Serait-elle elle-même une célébrité ? Ça ne lui a pas traversé l'esprit, mais sait-on jamais ? Il y aurait bien un moyen de s'en assurer...

– J'aimerais voir mon visage, dit-elle. Si j'arrivais à me reconnaître, ça hâterait ma guérison, vous ne croyez pas ?

– Je vous promets de demander au docteur. En attendant, nous allons faire ce brin de toilette, d'accord ?

A-t-elle vraiment le choix ? Et puis, ça lui fera sûrement le plus grand bien. Il y a toutefois un problème.

– Je ne pense pas être capable de marcher jusqu'à la salle de bain.

– Ce n'est pas grave. Je vais vous laver dans votre lit. J'ai l'habitude.

Le ton reste courtois, très professionnel. L'infirmière est une femme jeune, entre vingt-cinq et trente ans, au physique passe-partout, sans signes particuliers, hormis un hâle doré, sans doute le fruit d'un bronzage artificiel. Mais lorsqu'elle approche une lingette parfumée de la poitrine de sa patiente, celle-ci remarque de très fines cicatrices en étoile sous le lobe de l'oreille, ainsi qu'aux coins des yeux. La légère couche de fond de teint ne suffit pas à les estomper.

Opération de chirurgie esthétique ou bien réparatrice ?

À cette pensée, une bribe de sa conversation avec le docteur Beller lui revient en mémoire. Un extrait de monologue au sens étrangement prémonitoire : « Les technologies de la chirurgie réparatrice se sont considérablement développées. Rien de plus logique dans un monde où le paraître prime désormais l'être ! »

– Je vous ai fait mal, mademoiselle ?

L'infirmière a suspendu son geste et la regarde avec insistance. Plus aucune trace de compassion sur ses traits trop lisses. À la place, une expression difficile à déchiffrer, entre inquiétude et suspicion.

– Non, c'est juste que je pensais... Enfin, il m'avait semblé me souvenir... Mais non, rien.

Elle préfère mentir, sans trop savoir pourquoi. Ces histoires d'anonymat et de célébrité l'intriguent. Pour quelle raison Beller refuse-t-il de lui communiquer son identité ? Quel risque cela induirait-il ? Un amnésique ne doit-il pas recevoir au plus tôt ce genre d'information afin d'accélérer sa guérison ?

Plus elle y pense, moins elle trouve de raisons d'accorder une confiance aveugle à ce drôle de médecin. Lui ne joue pas franc jeu avec elle. Quelque chose ne tourne pas rond dans cette clinique. Tant qu'elle n'aura pas découvert ce dont il s'agit, elle ne se soumettra plus au traitement...

– Le docteur avait prévu ces épisodes de confusion, poursuit l'infirmière. Ils disparaîtront très vite si vous suivez ses prescriptions à la lettre, ajoute-t-elle en présentant les trois gélules dans le creux de sa paume. Allons, ouvrez la bouche !

– Je préfère me débrouiller seule. Il faudra bien que j'y arrive tôt ou tard, non ?

– Comme vous voudrez.

L'infirmière dépose les comprimés dans la main tendue de sa patiente. Elle l'observe les porter à ses lèvres avec une grande attention, les bras croisés sur sa poitrine.

La jeune fille avale une gorgée d'eau tiède, mime ce qu'elle espère une déglutition convaincante et s'efforce d'afficher son plus beau sourire.

– Merci. Je me sens déjà mieux.

Un bref instant, elle craint d'en avoir trop fait. Mais l'infirmière hoche la tête, apparemment satisfaite.

– J'en suis certaine, mademoiselle. Maintenant, il faut manger. Ensuite, nous commencerons vos exercices de rééducation. Après plusieurs heures sous anesthésie générale, vous en avez besoin. Rassurez-vous, vous marcherez très bientôt comme avant.

– Avant mon accident…

– Inutile de vous focaliser sur des pensées négatives. Vous avez besoin de reprendre des forces.

– Je suis sûre de pouvoir me nourrir seule.

Après un moment d'hésitation, l'infirmière capitule.

– Bon. Je vais avertir le docteur de vos progrès pendant que vous mangez. Je serai vite de retour pour la suite du programme. Cette fois, vous serez bien obligée d'accepter mon aide !

Elle s'apprête à effectuer un troisième aller-retour d'un mur à l'autre de la chambre quand les muscles de ses cuisses se mettent à trembler, comme s'ils refusaient de la porter davantage.

Elle se fige avec une expression de panique à moins d'un mètre du lit.

— Ce n'est rien, s'empresse de la rassurer l'infirmière. Votre corps vous envoie un signal, il a besoin de repos.

— J'en ai marre de rester allongée !

— Si vous forcez, vous risquez des complications. Vous avez envie de sortir de cette chambre, je suppose ? Alors soyez raisonnable. Demain, nous irons nous promener dans le parc, promis.

— Est-ce que je pourrais voir le docteur au moins, s'il vous plaît ?

L'infirmière s'immobilise devant la porte avec, à la main, la carte magnétique permettant de déverrouiller la serrure depuis l'intérieur de la pièce.

— Le docteur est très occupé, je ne sais pas s'il réussira à se libérer. Je repasserai en fin d'après-midi. Essayez de dormir d'ici là.

La jeune patiente acquiesce. Puis, une fois seule, elle retient son souffle, les sens aux aguets, le temps de s'assurer que l'infirmière ne lui a pas menti et ne va pas soudain réapparaître.

Aucun bruit ne parvient du couloir entraperçu par l'entrebâillement de la porte.

Elle reprend sa respiration, rassurée de disposer d'au moins trois ou quatre heures de tranquillité pour passer à l'action. La plupart du temps, son état

83

d'esprit oscille entre abattement et confusion. Elle doit profiter de ce moment de lucidité.

Rassemblant toute son énergie, elle se redresse, les poings serrés autour de la barre du déambulateur. Elle s'approche à pas comptés de l'unique fenêtre en prenant garde de ne pas trébucher.

Ses jambes lui obéissent mieux qu'elle ne l'a laissé croire à sa surveillante – difficile de penser autrement de cette femme au visage lisse et bronzé, malgré sa blouse blanche et ses intentions en apparence bienveillantes.

Mimer l'affaiblissement et la frustration devant l'infirmière ne lui a pas demandé un grand effort. Jouer la comédie ne lui a causé aucun souci. Ça lui est venu naturellement, sans qu'elle ait à forcer le trait. Elle s'est même découvert une aptitude au mensonge, une aisance dans le faux-semblant, qui l'interpelleraient si d'autres priorités n'accaparaient pas ses facultés de réflexion.

Trouver le moyen de fuir sa prison et renouer le contact avec l'extérieur pour commencer.

Puis, si possible, recouvrer la mémoire et son identité.

Ainsi, peut-être, les pièces du puzzle se mettront-elles en place. Une fois en pleine possession de ses moyens, elle sera en mesure de jeter un regard nouveau sur les événements, de découvrir la vérité sur les étranges agissements du docteur Beller. Car il n'a certainement pas le droit de priver ses patients de liberté. On n'enferme pas un malade contre son gré !

À moins qu'il ne représente un danger, pour les autres ou pour lui-même...

Non ! Impossible ! Je n'ai pas envie de me suicider, je n'ai pas d'idées noires, ni rien de ce genre ! Je me sens juste frustrée par le mystère entretenu autour de moi, c'est normal ! Je veux savoir qui je suis. Je veux des réponses à mes questions. Et puisque le personnel de la clinique refuse de me les donner, j'irai les chercher !

Quelques secondes suffisent toutefois à lui faire comprendre que l'espoir ne viendra pas de ce côté de la chambre. La fenêtre ne s'ouvre en effet que d'une demi-douzaine de centimètres avant de se bloquer irrémédiablement. À peine de quoi glisser la main à l'air libre et frôler du bout des doigts le treillis métallique aux mailles si serrées qu'il faudrait être une mouche pour passer à travers.

D'abord, la porte sans poignée, maintenant, la fenêtre condamnée...

Un mot s'impose à son esprit : prisonnière !

Plus aucun doute, le docteur Beller, son équipe, et ceux qui m'ont confiée à leurs « bons soins » me retiennent bel et bien...

Pourquoi ?

Elle a beau réfléchir, aucune hypothèse ne s'impose à son esprit.

Il y aurait vraiment de quoi pleurer de rage...

Hors de question ! Si je m'effondre maintenant, ils auront gagné la partie. Je ne leur ferai pas ce plaisir.

Jamais !

Elle focalise alors son attention sur le panorama qui s'étend derrière la fenêtre, à la recherche d'indices permettant une éventuelle localisation. Mais le paysage ne lui apporte aucun élément susceptible de raviver des souvenirs. La forêt déroule une couverture vert sombre, aux reflets gris-bleu, jusqu'aux contreforts d'une chaîne de montagnes dont les sommets s'effacent sous une couche de nuages bas. Un décor à la fois grandiose et banal, sans trace d'occupation humaine. La clinique pourrait se situer n'importe où en Europe, voire sur le continent nord-américain ou au Japon...

Quand bien même serait-ce la Lune, sa détermination ne fléchira pas pour autant. Elle sortira d'ici, coûte que coûte, elle s'en fait le serment !

Elle regagne son lit après un détour par les toilettes, où elle jette les gélules qu'elle a fait semblant d'avaler un peu plus tôt.

Le sommeil l'emporte sans qu'elle s'en rende compte.

Elle se réveille quand son instinct l'avertit d'un changement survenu dans son environnement.

Elle a conscience de n'être plus seule. Les sens en alerte, elle entrouvre les paupières et découvre le visage du docteur Beller, affiché en gros plan sur l'écran accroché juste en face du lit.

Une voix, guère plus perceptible qu'un murmure, s'échappe des haut-parleurs dissimulés dans le mur, au niveau de sa tête.

Cela a suffi à l'extirper d'un rêve perturbant, dont le sens lui échappe complètement – une troupe de danseurs aux traits asiatiques s'acharne à torturer sur scène une adorable princesse de conte de fées, jolie comme un cœur et à la chevelure aussi dorée que les blés...

Elle écoute avec attention le discours du docteur. Les mots ne lui paraissent d'abord revêtir aucun sens. Le débit monotone, la faiblesse du volume sonore, confèrent aux propos un aspect onirique, au point qu'elle se demande si elle n'a pas quitté un rêve pour pénétrer dans un autre, plus profond, emboîté dans le précédent à la façon de poupées russes.

Non, c'est idiot, je ne pourrais pas penser de la sorte si c'était le cas !

Peu à peu, les paroles de Beller commencent à faire sens.

Intriguée, elle l'écoute lui raconter l'histoire d'une jeune fille qui lui semble familière.

Mon histoire, comprend-elle soudain.

Cependant les événements rapportés n'éveillent aucun écho dans sa mémoire.

*Extrait de conversation téléphonique cryptée
entre Angela Fauster et le docteur Beller.*

Dr B. : Tout se déroule à merveille. Le premier sujet
réagit positivement au reconditionnement.
A. F. : Et sa remplaçante ?
Dr B. : J'attends votre feu vert pour la sortir de
l'isolement.
A. F. : J'aurai besoin d'elle à la fin de cette semaine.
J'enverrai quelqu'un à la clinique en prendre livraison vendredi. Je lui ai concocté un petit test pour ce
week-end.
Dr B. : Ce n'est pas trop tôt ? Il va falloir que j'accélère sa formation. J'ai besoin de temps pour implan-
ter des souvenirs détaillés, fiables.
A. F. : Impossible de différer son baptême du feu. Les
ordres viennent d'en haut. Je suis moi aussi soumise
aux impératifs du groupe, docteur ! J'ai besoin qu'elle
soit opérationnelle deux heures, pas davantage. Vous
aurez ensuite jusqu'en septembre pour parachever le
traitement.

Dr B. : Je n'aurai pas l'opportunité de compléter le reconditionnement du premier sujet d'ici vendredi...

A. F. : Aucune importance, du moment que je dispose de sa remplaçante.

(Silence – bruit de respiration sifflante.)

Dr B. : Le protocole doit être respecté à la lettre ! Mimesis ne souffre d'aucune sorte d'ajustement inconsidéré...

A. F. : Je me fiche du protocole. Le premier sujet est demeuré en activité pendant trois ans, à la satisfaction générale, jusqu'à l'incident de Strasbourg. Il doit à présent être remplacé dans les meilleurs délais. BEST joue gros avec cette histoire d'agression. J'ai réussi à reprendre la main, toutefois si nous ne présentons pas rapidement aux médias une Lydia docile, équilibrée, conforme à l'image que nous leur avons vendue, ils vont nous écharper et ruiner nos efforts.

Dr B. : Tout de même, vous prenez un énorme risque, Angela.

A. F. : *(soupir)* Je ne sais que trop bien comment fonctionne ce business, docteur. J'ai dirigé ma propre agence avant d'intégrer le groupe. J'ai vu des carrières et des fortunes s'effondrer pour moins que ça. Dois-je vous rappeler la hauteur des enjeux ? Ils dépassent la seule notoriété de Lydia. Celle-ci n'est qu'une jolie vitrine pour Mimesis. Elle n'attire pas seulement les regards de ses millions de fans à travers le monde, mais aussi ceux, beaucoup plus discrets, de très puissants partenaires potentiels. Si nous échouons à ce stade, nous sautons, vous et moi.

Alors cessez de tergiverser et faites ce pour quoi on vous paie... plutôt grassement, d'ailleurs ! Vous n'avez pas eu de scrupules à encaisser l'argent du groupe quand il s'est agi de monter votre clinique après votre éviction du centre de recherches.

Dr B. : Ces imbéciles de la faculté et leur stupide code de déontologie ! Ils n'ont jamais rien compris à l'importance de mes travaux...

A. F. : Contrairement à BEST, n'est-ce pas ? Sans le groupe pour vous remettre le pied à l'étrier, vous auriez disparu de la circulation. Alors ne nous faites pas regretter notre investissement.

(Longue pause.)

Dr B. : Bon, message reçu... La remplaçante sera à votre disposition à la fin de cette semaine. Et en ce qui concerne le premier sujet ?

A. F. : *(soupir)* Terminez le reconditionnement aussi tôt que possible. Arrangez-vous pour qu'elle s'en sorte au mieux... Il n'a pas été facile de convaincre les actionnaires de la maintenir en activité, croyez-moi ! Je souhaite qu'elle bénéficie d'une seconde chance, quoi que la vie lui offre, vous saisissez ? Je lui dois bien ça... Je compte sur vous, docteur Beller.

Dr B. : Vous avez ma parole, Angela. D'ici quelques jours, ce sera une affaire réglée.

A. F. : Voilà qui fait plaisir à entendre. À demain pour un prochain rapport.

Dr B. : Oui, à dem...

3

– Bonjour, mademoiselle. Comment allez-vous ce matin ? Vous avez bien dormi ?

– Comme un bébé, ment-elle sans détourner le regard de celui de l'infirmière.

– Je n'en doute pas. Le traitement doit à présent produire son effet. Après le petit-déjeuner, nous irons faire quelques pas dehors et vous rencontrerez le docteur. Mais dans l'immédiat, je vais vous débarrasser de vos bandages afin que vous puissiez prendre une douche. Je suis sûre que vous en mourez d'envie !

– Si vous saviez à quel point...

Inutile de mentir, cette fois. L'infirmière lui sourit et s'approche avec une paire de minuscules ciseaux à pointe courbe. Avec des gestes délicats, elle découpe les pansements sur le visage de la jeune patiente, avant de retirer les compresses sur ses joues, à hauteur des pommettes.

– Vous cicatrisez vite. D'ici quelques jours, on ne verra presque plus rien.

– J'aimerais y jeter un œil.

– Bientôt, c'est promis. Mais vous n'avez pas à vous inquiéter. Vous êtes jolie comme tout !

A-t-elle réellement perçu une pointe de sarcasme dans la remarque de l'infirmière, ou son imagination lui joue-t-elle des tours ? Après ce qui s'est passé cette nuit, difficile de ne pas douter.

L'histoire racontée d'une voix monotone par le docteur tourne en boucle sous son crâne. Une histoire banale, retraçant le parcours d'une enfant semblable à des millions d'autres, puis d'une adolescente en rupture avec les siens et la société. Un mot revenait dans la bouche de Beller à intervalles réguliers : fugue. Il était aussi question d'un accident de la route…

– Quelque chose ne va pas ? s'inquiète l'infirmière.

– Non, au contraire ! s'empresse-t-elle de la rassurer. Je crois que je commence à me rappeler certains événements.

Le seul problème, ajoute-t-elle pour elle-même, *c'est qu'ils m'ont été soufflés durant la nuit par votre patron et que je n'arrive pas à démêler le vrai du faux.*

– Le docteur sera ravi de l'apprendre. Maintenant, il faut manger et avaler vos médicaments.

Comme la veille, elle se contente de glisser les gélules roses sous sa langue, dans l'attente de les recracher dans les toilettes.

Elle se hâte ensuite de prendre sa douche, évitant de frotter les zones encore sensibles de ses joues et de son front, où s'épanouissent des marques violacées. Puis elle s'emmitoufle dans un peignoir avant de sécher ses boucles brunes. Ses gestes sont lents, parfois gauches. Elle apprécie toutefois cette liberté de mouvement retrouvée, malgré les tiraillements dans ses muscles. Elle regrette cependant de ne pas pouvoir contempler ses traits, puisque la salle de bain ne dispose d'aucun miroir. Une précaution élémentaire dans le cas de patients défigurés, afin de leur éviter un choc à la vue de leur reflet monstrueux. Mais quand elle promène le bout de ses doigts sur les courbes de ses lèvres, de son nez court et épaté, de ses pommettes proéminentes – sans doute encore enflées après l'opération –, elle ne décèle aucun signe de dévastation.

Pourquoi me refuse-t-on le droit de contempler mon propre visage, puisqu'il ne porte aucune séquelle de mon prétendu accident ?

De retour dans la chambre, l'infirmière l'aide à enfiler une longue chemise un peu raide boutonnée dans le dos, un pantalon taillé dans le même tissu et une paire de sabots en matière plastique.

– Ça n'a rien de sexy, mademoiselle, vous verrez qu'on s'y habitue.

– Je préférerais éviter...

– Bien sûr. Prenez mon bras, je vais vous soutenir. On avancera à votre rythme et dès que vous vous sentirez fatiguée, on marquera une pause, d'accord ?

Elle opine avec ce qu'elle espère une expression de pure reconnaissance – difficile de s'en rendre compte sans savoir à quoi elle ressemble !

93

L'activité de la clinique n'a rien de trépidant. Personne dans les couloirs et l'ascenseur, un hall presque désert, à l'exception d'un costaud en blouse blanche, affalé dans un fauteuil, un magazine de sport automobile entre les mains. Au passage de la jeune patiente, il lève à peine le nez de sa lecture, esquissant un sourire en forme de rictus. Elle éprouve alors une sensation de malaise, qu'elle met sur le compte de l'effort fourni pour arriver jusque-là.

– On se repose ici? suggère l'infirmière.

– Non, plus loin s'il vous plaît... J'ai hâte de sentir le soleil sur ma peau!

Elles effectuent encore quelques pas en direction de la sortie, puis débouchent sur une véranda vitrée où se trouvent alignés une demi-douzaine de transats inoccupés.

Une lumière éclatante inonde la façade du bâtiment. La température est déjà élevée, malgré l'heure matinale. On doit être au printemps, voire en été. Les massifs du jardin se parent de couleurs variées, toutes fleurs écloses. L'endroit inspire le calme, la sérénité. Elle ne peut cependant s'empêcher de frissonner sous le tissu léger de sa chemise.

– Asseyez-vous, mademoiselle. Je préviens le docteur, indique l'infirmière en tapotant sur le clavier de son smartphone.

– Je pensais faire un tour dans le parc.

Et prendre quelques repères, histoire de préparer ma fuite...

– Ce n'est pas raisonnable, vous êtes encore trop faible.

Pas tant que tu le crois, heureusement !

– C'est vrai. Mais je sortirai bientôt ?

– Vous poserez la question au docteur. Lui seul décide.

Beller ne tarde pas à apparaître. Derrière les verres arrondis de ses lunettes, on distingue les cernes mauves qui soulignent son regard vert pâle.

– Vous avez l'air en forme, lance-t-il pourtant avec entrain avant de s'installer sur le transat voisin.

– Je commence à me souvenir de certaines choses, avance-t-elle prudemment. Ça m'est revenu ce matin, au réveil.

En vérité, elle a cogité le reste de la nuit, incapable de se rendormir après l'avoir écouté lui répéter en boucle son discours, pendant ce qui lui a paru durer des heures. Par moments, des images apparaissaient à l'écran, illustrant les propos de Beller, et des bruitages couvraient le son de sa voix. Le but de la manœuvre lui a paru évident : imprimer dans sa mémoire les événements décrits avec un étonnant luxe de précisions – sa fugue, son errance, l'accident...

Ce matin, le docteur s'attend certainement à ce qu'elle lui récite sa leçon.

– Lesquelles, par exemple ? demande-t-il en lissant sa barbe blonde dans un geste mécanique.

Elle a décidé de se montrer bonne élève pour ne pas éveiller ses soupçons.

– Je vois une route, un paysage qui défile à toute allure. J'entends des rires et des cris, de la musique. Je crois que je ne suis pas dans mon état normal. Celui qui conduit la voiture non plus.

Le docteur Beller l'incite à poursuivre d'un hochement de tête.

– J'ai les images d'une fête bien arrosée en mémoire, mais je serais incapable de dire où et quand elle a eu lieu. Ni d'identifier les invités.

– Ce n'est pas grave. Votre cerveau déroule progressivement le fil des événements à compter du dernier en date, le plus traumatisant.

– L'accident…

– Oui.

– La voiture a raté un virage. Nous avons plongé dans un ravin.

Les images diffusées à l'écran tourbillonnaient, le fracas de la tôle froissée saturait les haut-parleurs. Le vertige l'envahissait alors qu'elle contemplait la chute simulée du véhicule…

– Et ensuite ? insiste Beller.

– Plus rien. Le trou noir. J'ai repris conscience dans mon lit, à l'étage, hier matin. Je n'ai aucun souvenir de mon transfert à l'hôpital.

– Un hélicoptère de la sécurité civile vous a transportée jusqu'ici. Vous aviez été plongée dans un coma artificiel. Il est tout à fait normal de ne pas vous rappeler.

Et pourtant, en y réfléchissant, il lui semble percevoir le vrombissement régulier d'un rotor… Simple effet d'autosuggestion ?

Ce n'est pas le plus important, pour l'instant. Elle a au moins un millier de questions à poser au docteur à propos de ses prétendus souvenirs, juste pour voir s'il a pensé à tout dans le cadre de sa petite mise en scène nocturne.

– Le conducteur s'en est-il tiré ?

– Je crains que non. Vous êtes la seule rescapée.

– Était-il un ami proche, ou un parent ?

Beller se relève en soupirant.

– N'allez pas trop vite en besogne. Vous faites des progrès considérables. Le reste vous reviendra en temps utile.

– Mais j'ai le droit de savoir !

– Et moi, celui de définir la thérapie appropriée pour vous aider à reconstruire votre mémoire. Si vous cherchez à brûler des étapes, je ne peux pas garantir une complète guérison. Encore un peu de patience, et tout s'éclaircira. Faites-moi confiance.

Je suis peut-être allée trop loin. Il se méfie, à présent. Il sent qu'un grain de sable s'est glissé dans la machine huilée par ses soins…

– Entendu, docteur, fait-elle mine de capituler.

– Vous n'aurez plus à patienter longtemps, je vous le promets, ajoute Beller avant de s'éloigner.

Le reste de la journée s'écoule au ralenti. Les exercices de rééducation s'enchaînent, dans une salle équipée d'un matériel sophistiqué et d'un bain bouillonnant, au rez-de-chaussée de la clinique.

D'autres patients s'entraînent chacun dans leur coin, sous la surveillance de leur propre cerbère.

Les repas sont pris dans l'intimité de la chambre, toujours selon le même rituel – les fameuses petites gélules calées sous la langue, discrètement recrachées au creux du poing avant de disparaître dans les toilettes.

– Vous avez bien travaillé aujourd'hui, mademoiselle, la félicite l'infirmière, sur le point de prendre congé. Vous avez mérité une bonne nuit de sommeil.

Malgré la fatigue qui lui rompt les os, elle sait que ce ne sera hélas pas le cas.

*Extrait de conversation téléphonique cryptée
entre Angela Fauster et le docteur Beller.*

Dr B. : Le premier sujet pose beaucoup de questions.
J'ignore si c'est bon signe.
A. F. : Que craignez-vous, au juste ? Tout ne se
déroule-t-il pas comme prévu ?
Dr B. : Elle est très réceptive au traitement. Trop,
peut-être...
A. F. : Vous feriez mieux de vous en réjouir, au lieu
de vous plaindre. Votre méthode de reconditionnement fonctionne à merveille. L'esprit des sujets
atteint un niveau de malléabilité tout à fait excep-
tionnel.
Dr B. : Justement. Je m'attendais à davantage de
passivité.
A. F. : Expliquez-vous, Beller.
Dr B. : Je pense qu'après trois années passées au
contact du monde, le premier sujet a développé des
sentiments que nous n'avions pas pris en compte en
élaborant le protocole du projet. Elle s'est attachée à

son entourage proche. Sa personnalité s'en est trouvée renforcée, en quelque sorte. Complexifiée, en tout cas. D'où une certaine tendance à la curiosité. Or, pour un maximum d'efficacité, il serait préférable que la patiente soit moins réactive.

A. F. : Max a toujours veillé à lui administrer votre traitement inhibiteur. Il n'a négligé aucune injection de sérum M.

Dr B. : Cela n'a pas empêché l'incident de Strasbourg. Je me demande si le traitement n'en est pas la cause, si ce n'est pas lui qui a finalement perturbé la psyché du sujet. Tant de facteurs nous échappent, Angela ! Il est impossible de tout contrôler. En trois ans, le cerveau du premier sujet a pu opérer un grand nombre de nouvelles connexions. Beaucoup plus que celui d'un enfant normal sur une période analogue, parce qu'elle n'est pas venue au monde de la même façon...

A. F. : Mais vous aviez anticipé cet écart de développement. La réussite de Mimesis repose d'ailleurs sur les facultés d'adaptation des sujets. Nos futurs clients ne sont pas à la recherche de machines. Seule la vie les intéresse, avec ses imperfections.

Dr B. : Je préconise malgré tout un passage plus rapide que prévu en phase finale. J'ai réuni suffisamment de notes et d'observations. Je sais comment corriger les défauts du premier sujet. Sa remplaçante sera parfaite, à tous points de vue. Elle satisfera totalement vos clients, j'en suis certain. Je lui ai concocté un nouveau traitement mieux dosé.

A. F. : J'ai horreur de gâcher la marchandise, d'autant qu'elle nous coûte très cher, mais c'est vous l'expert, docteur. Je vais transmettre vos recommandations à nos actionnaires. Je vous tiens très vite au courant de leur décision. En attendant, et afin de ne pas perdre de temps en cas d'accord, procédez aux préparatifs de la phase finale.

4

En dépit des efforts surhumains déployés pour repousser le sommeil, elle n'a pas pu empêcher ses paupières de s'abaisser, son esprit de partir à la dérive.

Comme la nuit précédente, la voix du docteur l'a réveillée quelques instants plus tôt. Son visage, souligné par le halo de sa barbe dorée, la surplombe en gros plan quand elle entrouvre les yeux, emplissant tout son champ de vision.

– Bien dormi ? demande-t-il. Je me doutais que tu nous jouais la comédie !

L'écran large n'est pas allumé. Le docteur est penché au-dessus de son lit, elle sent son souffle, son haleine lourde...

Beller s'adresse alors à l'infirmier qui maintient les poignets de la jeune fille collés aux hanches :

– Empêchez-la de se débattre. Je ne veux pas rater la veine.

L'aiguille d'une seringue s'agite sous son nez. Elle a envie de hurler mais ses lèvres demeurent scellées. Un pansement adhésif lui couvre la bouche.

C'est un cauchemar, ça ne peut pas être réel! Ils ne vont quand même pas me...

– Voilà, ça devrait la calmer un moment!

Le froid dans son avant-bras est comme une gangue de glace qui se propage en quelques secondes dans chacun de ses membres, l'enveloppant des pieds jusqu'à la tête. Plus aucun de ses muscles ne lui obéit, ses pensées lui échappent. Elle reste néanmoins consciente, lointaine spectatrice des événements.

– Faites-la sortir discrètement, commande Beller. Tibor attend avec la voiture devant l'entrée de service.

La brute la soulève avec une facilité déconcertante. Elle a soudain l'impression de voler. Mais elle plane sûrement sous l'effet de la drogue qu'on lui a injectée.

Au lieu de l'ascenseur, ils empruntent un petit escalier en colimaçon qui débouche sur l'arrière-cour de la clinique, près de la forêt sombre et silencieuse.

Deux poignes solides l'installent de force sur le siège passager d'un véhicule dont le moteur tourne au ralenti.

Elle a déjà vécu cette scène, dans une autre vie. À moins qu'elle ne l'ait vue à la télé? Tout se mélange, vrais et faux souvenirs, fantasmes et réalité.

– Ça ira? demande l'infirmier.

– T'occupe, répond le chauffeur, taillé sur le même gabarit. Je connais mon boulot. Confirme au toubib que ça sera bientôt réglé.

La voiture s'élance sur l'allée gravillonnée, contourne le bâtiment principal, puis franchit le portail électrique et s'engage sur la route. Le conducteur allume alors ses phares et écrase l'accélérateur.

Plaquée dans le fond de son siège, ballottée de gauche à droite, la passagère subit ce nouvel épisode privée de volonté, retenue seulement par la sangle de la ceinture qui lui scie la poitrine.

Ils roulent ainsi un temps impossible à déterminer. Les rugissements de la mécanique se mêlent aux couinements des pneus pour composer une bande-son infernale. Mille lumières s'allument au tableau de bord. Derrière le pare-brise, le ruban sinueux de la route apparaît et disparaît dans le double faisceau des phares au gré des virages négociés à vive allure.

Soudain deux soleils jumeaux se lèvent et leurs rayons éblouissants envahissent l'habitacle.

– Merde ! s'écrie le chauffeur en braquant sur la droite par réflexe, pour éviter l'obstacle qui s'avance dans la clarté de cette aube électrique.

Le monde se met à tournoyer. La voiture devient légère. Elle semble vouloir s'envoler, se libérer de l'attraction de la Terre et...

Avec un épouvantable fracas, la gravité reprend ses droits.

TRAQUE

Bienvenue sur le blog de Marjorie

Lydia forever !

Chose promise, chose due, mes fidèles lecteurs.
Votre blog préféré prend aujourd'hui des airs de carnet de voyage. Ma rencontre avec Lydia approche à grands pas, d'ici là je compte profiter de mon séjour à Paris pour jouer les touristes. Voici mes premières impressions de la capitale.
Après un trajet aussi rapide qu'agréable à bord du TGV Est, j'ai été accueillie à la gare par le chauffeur mis à ma disposition. Cyril travaille pour l'antenne parisienne de BEST depuis sa fondation, il y a cinq ans. Chaque fois que Lydia se déplace, c'est lui qui se charge de veiller sur sa sécurité. Autant dire qu'il est plutôt baraqué, pas dans le genre brute épaisse toutefois. S'il m'avait autorisée à le photographier, vous verriez à quel point il est séduisant, mais il préfère ne pas être reconnu. Ça lui permet de surveiller discrètement l'entourage des personnalités qu'on lui confie.

Bref, Angela Fauster m'a fait une fleur en me pla-
çant sous la protection de Cyril! Comme je découvre
Paris, j'ai eu droit à une longue balade dans les plus
beaux quartiers avant de gagner l'hôtel. Pour des
raisons de confidentialité, je ne suis pas autorisée à
vous en dévoiler le nom. Sachez juste qu'il s'agit d'un
authentique palace, Angela ne m'avait pas menti. Je
suis carrément logée dans une suite, plus vaste que
l'appartement de mes parents. Je n'ose pas imaginer
le prix d'une nuit dans un tel établissement!
Ce soir, Cyril m'emmène assister à une comédie musicale, une production BEST évidemment. Je profite du
répit qui m'est accordé en cette fin d'après-midi pour
blogger et vous donner rendez-vous pour la suite dès
demain, mes lecteurs chéris…

> Bonne soirée, Marjorie! Amuse-toi bien et sois
> sage avec le beau Cyril ☺
>
> *Camille*

> Oui pas de bêtises avec ton garde du corps!
> J'espère que tu pourras TOUT nous raconter
> demain…
>
> *Laetitia*

I

On prétend qu'au moment de mourir, on voit défiler toute sa vie devant ses yeux. Mais quand la voiture plonge dans le ravin, les images qu'elle perçoit n'ont aucun sens...

Une troupe de danseurs s'agite sur scène, devant un public composé de milliers d'ados en transe. Elle les entend hurler un prénom qui ne lui rappelle rien.
Ly-dia ! Ly-dia ! Ly-dia !

Puis c'est le choc.
L'explosion des airbags l'empêche de se disloquer comme ces pantins grandeur nature utilisés pour les tests de collision.
Passé un court instant de sidération, elle comprend que la mort l'a épargnée...
Pour cette fois.

Le danger n'est pas pour autant écarté, car le chauffeur s'anime sur son siège, en proie à une colère noire. Le front maculé de sang, il s'agite et se débat pour tenter de s'extraire du piège de métal froissé qui le retient prisonnier.

Sans trop savoir comment, elle réussit à se dégager de sa ceinture de sécurité et à ramper à travers la vitre éclatée de sa portière pour glisser sur un tapis humide d'aiguilles et de feuilles odorantes.

Elle perçoit alors des cris, tombés des hauteurs d'un talus broussailleux, là où doit se trouver la route.

D'un pas mal assuré, elle s'enfonce dans l'obscurité, indifférente aux protestations douloureuses de ses membres.

Très vite, une sueur glacée colle à sa peau le tissu de la chemise de nuit. Malgré le froid, elle transpire à grosses gouttes. L'adrénaline l'aide à repousser la douleur qui enflamme les muscles de ses cuisses et de ses bras.

Aiguillonnée par la terreur, elle accélère l'allure. Derrière elle, des appels s'élèvent, des voix s'emmêlent, hachées par la distance.

Déboussolée, elle court.

Des milliers de visages inconnus émergent d'une foule d'admirateurs...

Des griffes de bois mort s'accrochent à son vêtement léger, lacèrent sa peau, giflent ses joues.

Une scène, des projecteurs, une troupe de danseurs...

Elle court pour sa vie, elle en est à présent certaine.

Un long tunnel de béton, une porte ouverte sur la nuit déchirée par les flashs...

Ils sont à sa poursuite, elle ignore qui ils sont mais ils ont tenté de la tuer, cette nuit, sur la route, dans cet accident – et pourtant l'accident n'est pas réel, elle l'a vu sur l'écran de sa chambre, c'est une histoire inventée par le docteur pour tenter de la guérir.

Une ado grassouillette lui brandit sous le nez un carnet et un stylo...

À moins qu'on ne veuille la rendre folle ! Elle ne sait plus quoi penser, aussi elle court pour échapper aux idées tordues qui l'assaillent, à la voix de cette foule qui scande toujours le même nom...

Ly-dia ! Ly-dia ! Ly-dia !

Son cerveau est sur le point d'exploser, soumis à une terrible pression.
– Je ne suis pas celle que vous croyez ! s'écrie-t-elle soudain.
À bout de souffle, elle ralentit sa course. En jetant un coup d'œil par-dessus son épaule, elle aperçoit le rayon d'une torche fouillant le sous-bois. Les voix de ses poursuivants semblent se rapprocher.
Si elle ne repart pas de plus belle, *ils* vont la rattraper et alors *ils* pourront achever leur sinistre besogne...

Une silhouette surgit d'un coup devant elle, bras écartés, lui coupant la route. Elle lâche un cri et s'effondre, au bord de la nausée.

– Hé, du calme ! Je ne te ferai pas de mal ! Qu'est-ce qui t'a pris de détaler comme ça ?

Elle relève le menton et découvre un jeune type aux cheveux en pétard, vêtu d'un treillis et d'un tee-shirt noir. Quand le faisceau d'une autre torche se braque sur lui, elle distingue l'éclat du métal accroché à ses lèvres, ses narines et ses sourcils – une impressionnante collection de piercings de toutes formes et de toutes tailles.

– Pas dans la tronche ! s'écrie-t-il en ramenant une main devant ses yeux. J'y vois que dalle !

– Désolé, réplique quelqu'un sur la droite. T'as pu la choper ?

– Ouais, c'est bon, amène-toi...

Une deuxième silhouette déboule à son tour dans le creux du vallon. Le nouveau venu est plutôt court sur pattes et carré d'épaules, tandis que le premier garçon est mince et élancé.

– Pff, tu parles d'un cross ! ronchonne-t-il. J'ai failli me péter la gueule plusieurs fois...

– Arrête de te plaindre ! T'es pas le plus amoché. Bon sang, regarde-la, elle est drôlement arrangée... Est-ce que ça va ? Tu comprends ce que je dis ?

Elle fait signe que oui, sans conviction. Le garçon aux piercings est-il réel ou bien a-t-il jailli de son esprit, comme les danseurs et leur public ?

– Qui... Qui êtes-vous ? demande-t-elle dans un murmure.

– Peter. Et lui, Marco. C'est notre camion, là, plus haut, sur la route.

– Un camion ?

Elle se souvient juste de lueurs aveuglantes, avant le grand plongeon.

– Ouais, vous nous fonciez dessus, reprend Peter. Vous rouliez comme des dingues ! Pour nous éviter, votre bagnole a plongé dans le fossé et a atterri dans les fourrés. Vous avez eu un bol incroyable, ton père et toi, de pas vous écraser contre un arbre.

– Mon père ? répète-t-elle, hagarde.

– Le gars au volant. Je pensais que c'était ton vieux, vu son âge… Viens, il faut que tu te fasses examiner par un toubib, tu as reçu un sacré choc.

Un toubib… Un docteur. Beller. Non, surtout pas !

– Non !

– Quoi, j'ai dit un truc qu'il ne fallait pas ?

– Pas de docteur !

L'énoncé de ce simple mot la fait frémir de la tête aux pieds.

– OK, t'excite pas… Mais il faut au moins nettoyer et désinfecter tes plaies. Et changer tes fringues, aussi. Les tiennes sont en loques. Betty te prêtera quelque chose. Je vais t'aider à te relever, donne-moi ta main…

Voyant qu'elle hésite, Peter l'agrippe d'autorité par le poignet. Elle se cabre aussitôt et hurle :

– Me touche pas !

– Hé, cool ! proteste le garçon.

– C'est une dingue, lâche Marco. Elle porte une tenue d'asile, comme dans les films.

– Elle est surtout sous le choc, corrige Peter en s'agenouillant face à la jeune fille sur la couche d'humus couverte de rosée. Écoute, ajoute-t-il en prenant soin de détacher chaque syllabe, tout est OK. Tu as eu un accident, tu es encore sonnée, mais au moins tu es entière. Mon pote et moi, on souhaite juste t'aider. On va remonter ensemble jusqu'à la route et tu pourras t'étendre sur une couchette de notre bahut en attendant l'arrivée des secours. Pendant ce temps, on s'occupera de ton père, enfin du mec qui conduisait...

– Tibor! crache-t-elle avec mépris, se rappelant le nom prononcé par Beller.

– Elle a pas l'air de l'aimer des masses, remarque Marco.

– Ce n'est pas le problème. Allez, file-moi un coup de main. Betty est seule là-haut, elle doit commencer à s'inquiéter.

Cette fois, elle accepte le contact et se laisse soulever par les bras de ses sauveteurs. Gravir la pente à trois n'a rien d'une épreuve insurmontable. Racines émergentes et basses branches offrent de solides points d'appui. La torche de Marco trace un chemin lumineux facile à suivre dans la semi-pénombre.

Le temps de gagner le sommet, l'aurore dissipe peu à peu les ténèbres du sous-bois. Un petit jour blafard, empoissé de brume, se lève sur la forêt.

Après avoir enjambé une barrière métallique, le trio parvient enfin sur le macadam, en plein milieu d'un virage.

116

– Par là, indique Peter avec un coup de menton vers la gauche. On doit être à deux ou trois cents mètres du bahut. Comment tu te sens, euh… *machine* ? Tu as bien un nom, au fait ?

Un chœur d'ados hystériques résonne toujours sous le crâne de la jeune fille. Elle répète le nom scandé en boucle :

– Lydia…

– Comme l'autre pouffe ? s'amuse Marco.

– T'es lourd, vieux, le reprend Peter.

– Moins qu'elle, bon Dieu, elle pèse une tonne ! Je suis mort…

Il s'assied sur la barrière, sort un briquet et une cigarette roulée d'une poche de son blouson en cuir, style motard, rouge et noir. Puis, avec un clin d'œil, il ajoute :

– C'est le moment de la pause détente !

Et il allume sa clope artisanale en soupirant d'aise. L'odeur piquante fait tousser Lydia, qui grelotte dans sa chemise de nuit déchirée et trempée. Peter lui passe sa veste de treillis sur les épaules en fusillant son ami du regard.

– Tu crois que c'est le moment, Marco ? Reste là avec Lydia, je vais chercher le bahut.

– Bonne idée, vieux. Et après ?

– Quoi, après ?

– Ben oui… On va se la coltiner longtemps ? demande Marco en tirant une longue bouffée.

– Jusqu'à ce que les secours rappliquent, je suppose, répond Peter.

– Tu délires? On est au milieu de nulle part, au cas où t'aurais pas remarqué. Ils mettront des plombes à arriver... Et puis il faudra raconter ce qu'on a vu, ce qu'on foutait là à une heure pareille. Il y aura peut-être même les flics.

Il rejette un filet de fumée grisâtre par les narines, contemple quelques instants l'évolution du petit nuage parfumé, puis le gobe et l'avale en ricanant.

– OK, gros malin, dit Peter. Qu'est-ce que tu proposes?

– On a déjà fait notre B.A. en récupérant la fille. Suffit d'appeler les pompiers dans la vallée et de leur signaler l'endroit de l'accident. Pas besoin de s'attarder sur place.

– Et si elle tombe dans les vapes ou un truc dans le genre avant qu'ils débarquent? J'ai pas envie d'apprendre aux infos qu'ils ont ramassé un macchab. Parce que là, pour le coup, tu peux être sûr que la montagne entière grouillera de keufs!

Marco semble peser le pour et le contre avant de reprendre la parole.

– Ouais, t'as pas tort... On fait quoi, alors?

– Comme j'ai dit. Je ramène le bahut et on l'embarque avec nous jusqu'au camp. Là-bas, on la remet sur pied et on la dépose en ville demain, ni vu ni connu.

– Et le mec dans la bagnole?

– Merde, j'ai failli l'oublier, celui-là!

– Tibor! s'écrie soudain Lydia.

– Pas la peine de hurler, proteste Marco, on n'est pas sourds.

Elle agite alors la main dans la direction indiquée un peu plus tôt par Peter, les yeux écarquillés.

– Tibor, répète-t-elle en boucle, Tibor! Là! Là!

Les deux garçons tournent la tête dans un même mouvement. Costume froissé et souillé de sang, Tibor vient d'apparaître, claudiquant au détour du virage. Devant lui s'avance une punkette au crâne hérissé d'épis rose fluo, vêtue d'un perfecto clouté trop grand de plusieurs tailles et d'un pantalon moulant lardé de déchirures.

La nouvelle venue marche d'un pas raide, sans cesser de jeter des coups d'œil affolés autour d'elle.

– Reste tranquille, conseille Tibor.

Un pistolet braqué sur la nuque de sa prisonnière, il conclut :

– Un accident est si vite arrivé...

2

– Il a un flingue, constate Marco.

– Merci, j'avais pas remarqué, ironise Peter en levant les bras au ciel. Betty, tout est OK?

La punkette acquiesce.

– Ce salaud m'a cognée alors que je voulais appeler le 17. Il a démoli mon portable…

– Fermez-la, ordonne Tibor. Toi, rapplique ici!

Le canon de son arme décrit une courbe dans l'air pour désigner Lydia, abandonnant un bref instant la nuque de Betty. Celle-ci en profite pour passer à l'action. Du talon de l'impressionnante semelle de sa Rangers, elle écrase le pied de Tibor, tandis que son coude s'enfonce dans le bas-ventre du chauffeur.

Plié en deux au milieu de la route, celui-ci n'a pas pour autant lâché le pistolet. Mais Peter est sur lui avant qu'il ne se ressaisisse.

D'une détente foudroyante, le garçon aux piercings décoche un coup de pied qui atteint sa cible à la tempe, l'envoyant dinguer cul par-dessus tête deux mètres plus loin. Sous le choc, l'arme s'envole et atterrit hors de portée, sur le bas-côté.

– Il aime pas qu'on s'en prenne à sa meuf, commente Marco en aspirant une voluptueuse bouffée. Tu veux une taffe ?

– N... Non, décline Lydia, incapable de détourner le regard de la scène, choquée par le brusque déchaînement de violence.

Qui sont ces gens ? Ils n'ont pas l'air d'avoir peur, ou alors ils cachent bien leur jeu !

Tibor se remet d'aplomb avec un grondement de bête, sautillant sur sa jambe valide, les yeux luisants de rage derrière le masque de sang et de poussière qui lui macule la face.

– Tu vas le regretter, connard ! menace-t-il, la bave aux lèvres.

Le poing du chauffeur renferme à présent un mince cylindre d'argent, sans doute tiré d'une poche de sa veste. Avec un déclic, la lame du couteau à cran d'arrêt jaillit, accrochant un reflet à la pâle lueur de l'aube.

Lydia étouffe un cri.

– Oh oh, lâche Marco. On dirait que ça se complique...

Un violent coup de tonnerre fige soudain les adversaires.

L'écho de la détonation roule contre le flanc de la montagne, naturellement amplifié.

– La prochaine balle, je la tirerai pas en l'air ! prévient Betty.

Entre ses mains, le pistolet paraît encore plus imposant. La punkette n'est pas bien grande ni épaisse
sous la carapace de son blouson de cuir orné de
plaques cloutées. D'ailleurs, ses bras se mettent vite à
trembler sous le poids de l'arme.

– Qu'est-ce que tu comptes faire ? demande Tibor.
Me buter ? Je ne crois pas que tu puisses tuer quelqu'un en le regardant dans les yeux. Peu de gens en
sont capables.

Un premier pas le rapproche de Betty, puis un
deuxième.

– Repose ce joujou avant que je m'énerve vraiment, fillette...

– L'écoute pas ! lance Peter. Shoote-le, vise les
jambes !

– Si tu tiens à la vie de cette garce, je te conseille
de la boucler ! lance Tibor en agitant la pointe de son
couteau sous le nez du garçon. Je vais récupérer mon
flingue et les clés de ton camion. Ensuite je m'en irai
avec la gamine et vous oublierez ce qui s'est passé.
Moi, je ne vous oublierai pas, aucun de vous trois.
Vos tronches sont gravées là, maintenant.

D'un geste, il désigne son front puis ajoute :

– Je saurai si vous parlez aux flics. Alors je vous
retrouverai.

Encore un pas. Moins d'un mètre le sépare désormais de Betty. Affolée, la punkette tente de reculer.
Elle se heurte vite à la paroi rocheuse face au ravin,
de l'autre côté de la route. Le tremblement de ses
bras s'intensifie. Le gros pistolet s'agite dans tous les
sens.

– Ne bouge plus, espèce de…

– Chut, murmure Tibor, très calme soudain. C'est bientôt fini, mignonne.

Sa main libre s'avance pour s'emparer du canon de l'automatique. On ne perçoit plus que la respiration saccadée de Betty et les grondements échappés de la gorge du chauffeur blessé.

– Arrêtez ! s'écrie alors Lydia. Ne lui faites pas de mal ! C'est moi que vous voulez…

– Toi, la ferme ! réplique Tibor. Ton tour viendra, t'inquiète !

Le temps paraît suspendu, comme si la montagne elle-même retenait son souffle.

Tout se précipite d'un coup.

La lame du couteau frémit dans le poing de Tibor. L'instant suivant, il frappe avec une incroyable vivacité.

Une explosion retentit.

Lydia sursaute.

– Non ! Pas ça !

Peter pousse un cri de détresse et se jette en avant, ceinturant Tibor pour l'écarter de sa victime.

Une expression d'intense surprise déforme les traits outrageusement maquillés de Betty.

Tibor et Peter roulent sur la chaussée avec force grognements. Marco jette son mégot et s'élance vers Betty à l'instant où cette dernière s'effondre, lâchant enfin le pistolet au canon fumant.

Lydia se rue dans la foulée du garçon. Une poignée de secondes seulement se sont écoulées depuis les dernières paroles de Tibor, mais elle a l'impression qu'il s'agit d'une éternité – jusqu'à ce que Peter se relève en s'écriant :

– Oh, putain, il est mort !

Le corps de Tibor gît sur le flanc, exposant les dégâts provoqués par la balle tirée à bout portant. Ça n'est pas beau à voir, aussi chacun détourne vite le regard.

Accroupie dos à un rocher, Betty sanglote, agitée de convulsions.

– C'est pas ta faute, la console maladroitement Marco, il allait te planter...

– Bébé, est-ce que ça va ? s'inquiète Peter. Il t'a touchée ?

– Nan, le rassure Marco. La lame a ripé sur les clous de son perf.

– Je l'ai tué, je l'ai tué, répète Betty, comme si ces mots avaient le pouvoir de conjurer l'horrible réalité.

– Il ne t'a pas laissé le choix, intervient Lydia.

– Elle a raison, bébé, insiste Peter, c'était lui ou toi. Tu as défendu ta vie. Et tu nous as tous sauvés. Ce cinglé allait nous buter, j'en suis sûr. Écoutez, il faut qu'on s'arrache avant qu'une bagnole se ramène. Mais avant...

Le garçon récupère le pistolet en empoignant la crosse à travers l'étoffe de son tee-shirt. Puis il replace le cran de sûreté et nettoie consciencieusement les empreintes de Betty. Une fois satisfait, il balance l'arme dans le ravin, le plus loin possible de la route. Deux précautions valent mieux qu'une...

– On file maintenant et en quatrième vitesse, parce que cette fois, pas de doute, la montagne sera bientôt envahie par une horde de keufs !

À nouveau, la question s'impose à l'esprit de Lydia, avec plus d'insistance que la première fois :

Qui sont ces gens ?

3

Personne n'ose briser le silence durant le trajet. Betty demeure prostrée sur la banquette avant, près de Peter concentré sur la conduite. Marco veille d'un œil distrait sur Lydia, étendue sur l'une des couchettes à l'arrière du camion, aménagé en mobile home de fortune avec pas mal d'astuce et beaucoup de récup.

De toute manière, le vacarme du moteur et les craquements de la boîte de vitesses auraient couvert la conversation. L'engin, tant il remue de tous côtés, semble sur le point de se disloquer. Peter garde en effet le pied écrasé sur la pédale d'accélération, n'évitant que par miracle les sorties de route. Sa dextérité témoigne d'une longue pratique de la conduite en montagne. Pour un garçon aussi jeune – il doit avoir vingt-deux ou vingt-trois ans, estime Lydia –, ça paraît surprenant.

Pas plus, toutefois, que ce qui lui arrive ces dernières heures ! Elle a encore du mal à croire que le sbire du docteur Beller a tenté de...

Quoi, au juste ? Tibor voulait-il réellement l'éliminer, comme le suppose Peter ? Ou bien était-il seulement chargé de l'éloigner de la clinique pour la relâcher dans la nature, l'esprit en déroute vidé de ses souvenirs ? Une question à laquelle seul le docteur Beller pourrait répondre.

– On arrive, prévient Peter. Accrochez-vous derrière, ça risque de secouer !

Le camion quitte la route pour s'engager sur un chemin de terre troué d'ornières qui s'enfonce à travers bois. Les silhouettes des sapins s'inclinent de part et d'autre comme pour saluer le passage du véhicule, frôlant du bout des branches le toit surélevé.

Au bout d'une dizaine de minutes d'un parcours cahoteux, le chemin débouche sur une prairie à l'amorce du plateau dominant la montagne, dont la crête enneigée semble si proche qu'il suffirait de tendre la main pour la toucher du doigt. Une impression trompeuse, tant la pureté de l'air en altitude affine les détails les plus lointains, abolissant la sensation d'éloignement.

Peter ralentit puis arrête le camion devant une tente siglée d'une croix rouge. Une vingtaine d'autres, anonymes celles-là, se dispersent un peu plus loin autour d'une structure en toile abritant d'énormes caisses en bois montées sur roulettes. Des inscriptions au pochoir et à la peinture blanche indiquent qu'elles contiennent les éléments d'un sound system.

Lydia associe immédiatement l'expression à des enceintes, amplificateurs et autres égalisateurs ou tables de mixage, sans qu'elle ait besoin d'y réfléchir. Autant de connaissances tirées par réflexe des limbes d'une mémoire toujours inaccessible.

Pourquoi ai-je reconnu ce matériel ? Aurais-je reçu une formation technique à un moment de ma scolarité ?

Elle a beau s'efforcer de raviver des souvenirs associés à ce genre d'équipement, rien ne lui vient que de vagues images d'une troupe de danseurs, comme durant sa fuite dans la forêt. Avec cependant une légère différence : cette fois, elle distingue les traits de celui qui dirige le groupe, un Asiatique d'une trentaine d'années dont le nom lui échappe.

Encore la danse... Ai-je assisté à un spectacle peu avant l'accident ? Ou est-ce que je prenais des cours ?

Lassée d'émettre de vaines hypothèses, elle décide de porter son attention sur ce qui l'entoure. Les mobile homes parqués à proximité semblent avoir été assemblés à partir de pièces prélevées sur des tanks ou une navette spatiale, comme celui de Peter d'ailleurs. Des fresques en tous genres s'étalent sur leur carrosserie, reflétant les goûts hétéroclites de leur propriétaire – ici, un désert traversé par une caravane de Bédouins, là, un sabbat de sorcière au clair de lune.

Qu'est-ce que c'est que cet endroit ? Un genre de cirque, ou quoi ?

– Donne-moi ta main, je vais t'aider, dit alors Marco. Je ne pense pas que tu tiennes debout toute seule !

Ensemble, ils descendent les trois étroites marches métalliques soudées au pare-chocs arrière du camion. Lydia réalise qu'elle a perdu ses sabots en plastique durant sa fuite dans la forêt. De vilaines contusions marquent ses pieds du gros orteil jusqu'à la cheville. Y a-t-il une partie de son corps encore intacte ? se demande-t-elle au moment où une jeune femme à la peau noire, coiffée de magnifiques dreadlocks, soulève un pan de la tente pour saluer ses visiteurs.

– On a du boulot pour toi, Isa, annonce Marco.

– Je vois ! Qu'est-ce qui s'est passé ?

– On a pris Lydia en stop en remontant de la vallée, élude Peter. Elle a fait une mauvaise chute...

– Et perdu ses vêtements en dévalant la pente, ben voyons ! Enfin, je connais la chanson : pas de questions, pas de problèmes ! Déposez-la sur un lit de camp, je vais préparer ma trousse. Au moins, elle me changera des comas éthyliques et des bad trips !

– Tu es entre d'excellentes mains, indique Marco. Isa est la plus cool des secouristes, elle assure sur chacune de nos raves...

Mais Lydia ne l'écoute plus, elle vient de tomber dans les pommes.

Lorsque Lydia reprend conscience, elle aperçoit d'abord le ciel de toile de la tente éclairée par une lampe de chantier branchée sur un petit générateur dont le doux ronronnement a bercé son sommeil.

En tournant la tête, elle découvre Isa, assoupie sur un fauteuil pliant, un livre aux pages écornées ouvert en travers des cuisses.

La gorge sèche et irritée, comme si elle avait ingurgité de pleines poignées de sable, elle lance un appel hésitant :

– S'il vous plaît... Je meurs de soif !

La secouriste émerge aussitôt, ébroue ses dreadlocks et lui sourit.

– Tu ne m'étonnes pas ! Avec toutes les saloperies que tu t'es injectées. Les traces de piqûre ont beau être discrètes, elles ne m'ont pas échappé. L'atterrissage est toujours difficile, mais je suis parée... Tiens, bois. C'est un cocktail revigorant de ma composition. Il te remettra d'aplomb.

Lydia ne prend pas la peine de protester. Tant pis si Isa la considère comme une junkie pour le moment, elle ne pourrait pas jurer que la secouriste se trompe !

Isa approche le goulot d'une thermos des lèvres de sa patiente, l'aide à avaler la première gorgée, puis la laisse se débrouiller. Le liquide sucré se répand dans l'organisme de Lydia, lui donnant un véritable coup de fouet.

– Doucement, conseille Isa en la voyant s'agiter. Tu es encore convalescente. Tu viens de subir une lourde opération. Normalement, tu n'aurais pas dû voyager de sitôt.

Lydia parvient à se calmer, malgré l'excitation générée par l'apport en énergie du détonant mélange.

– Qu'est-ce qui m'est arrivé ? demande-t-elle.

– Tu as eu un accident, sur la route, dans la montagne.

– Non, ça je m'en souviens, mais avant ? L'opération...

Isa fronce les sourcils.

– Tu as oublié pourquoi tu es passée sur le billard ? D'après les marques présentes sur ton visage, je dirais qu'il s'agit d'une importante opération de chirurgie esthétique. Effectuée par un véritable magicien du scalpel...

– Le docteur Beller, l'interrompt Lydia. Je me souviens de lui et de son horrible clinique ! Qu'est-ce qu'il m'a fait ? À quoi je ressemble ? Il faut que je voie ça !

– Du calme, il n'y a aucune raison de t'angoisser, je t'assure. Attends un peu, j'ai un miroir quelque part... Ah, voilà ! Tiens, regarde-toi. Tu ne portes quasiment aucune trace. Il faut un œil exercé pour repérer les zones d'intervention.

Isa a raison. Malgré son appréhension, Lydia ne peut que constater la qualité du travail effectué par Beller. Le visage qui la contemple dans le miroir n'a rien de monstrueux, ni même de disgracieux. Il est juste d'une consternante banalité, sans traits remarquables – un visage anonyme, semblable à des millions d'autres. Le sien, vraiment ?

– Vous les avez pourtant remarquées...

– J'ai une certaine expérience en la matière. Je travaille dans un service d'urgence, la semaine. Je vois défiler des centaines de patients couverts de cicatrices.

– Et le week-end ?

– J'arrondis les fins de mois en soignant des teufers en cas de bobo ou de mauvais trip. Peter organise des raves sauvages en pleine nature. Il ne peut pas réclamer l'assistance d'un organisme officiel. Alors on s'arrange, de la main à la main, lui et moi.

– Des rêves sauvages ?

Pendant un bref instant de confusion, l'esprit de la jeune fille associe les homophones anglais et français.

– Des rassemblements techno, si tu préfères, reprend Isa. Illégaux. Pour être exacte, il s'agit de free parties. Sans autorisation, la répression est plutôt sévère, en Suisse comme en France.

– Je comprends pourquoi Peter n'a pas envie de voir débarquer la police...

À l'expression d'Isa, elle réalise qu'elle en a peut-être trop dit.

– On a pris toutes les précautions possibles, comme toujours, indique la secouriste. Pourquoi la police s'en mêlerait-elle, cette fois ?

Parce que la petite copine de Peter a été obligée d'abattre la brute qui menaçait de la tuer, et que son cadavre gît en travers de la route à quelques kilomètres d'ici, songe Lydia. Mais elle préfère donner une autre explication :

– À cause de la drogue... Marco n'est pas très discret avec ses joints.

– C'est vrai ! rigole Isa. Je suis sûre qu'il en a allumé un devant toi, sans même savoir qui tu étais.

Ça finira par lui jouer des tours, s'il ne se méfie pas davantage. Enfin, ce n'est pas grave... Le camp est presque entièrement démonté, les teufers ont regagné leurs pénates. Il ne reste plus que la bande à Peter.

– Et vous.

– Et moi, oui. Tu peux me tutoyer, si tu veux. Mon boulot est terminé. Je t'ai remise en état au mieux. Il faudra tout de même qu'un médecin t'examine dès que tu seras rentrée chez toi, d'accord ?

– D'accord, mais il y a un problème, Isa.

– Lequel ?

– Je ne sais pas s'il existe un « chez moi » quelque part.

*Extrait de conversation téléphonique cryptée
entre Angela Fauster et le docteur Beller.*

A. F. : Si c'est une plaisanterie, je ne la trouve pas
très drôle, docteur...
Dr B. : Je n'ai jamais été aussi sérieux ! C'est une véritable catastrophe !
A. F. : Calmez-vous et recommencez depuis le début.
Donnez-moi tous les détails que je puisse prendre la
meilleure décision pour rattraper vos erreurs.
Dr B. : *(soupir déchirant)* Tibor était censé m'appeler une fois le premier sujet parvenu à destination.
J'avais choisi un endroit suffisamment éloigné de la
clinique, proche de la frontière entre la France et
l'Italie. Un axe fréquenté par les clandestins et où
transitent pas mal de jeunes fugueurs. Les douanes
ou une association quelconque auraient fini par la
récupérer. Après le reconditionnement et avec les
traces de drogue dans son organisme, elle aurait été
considérée comme une jeune paumée de plus. Bref,
aucun moyen de la relier à nous. Sauf que Tibor

n'a jamais appelé. Quand j'ai essayé de le joindre, je suis tombé sur sa messagerie. Alors j'ai envoyé une équipe à sa recherche. Moins de deux heures plus tard, elle était de retour avec son cadavre... Cet imbécile a effectué une sortie de route dans la montagne, mais ce n'est pas l'origine du décès : on lui a tiré dessus à bout portant ! J'ai fait disparaître le corps dans l'incinérateur de la clinique, rien à craindre de ce côté-là. Seulement mes gars n'ont pas retrouvé celui du premier sujet. Or je doute qu'elle se soit échappée sans aide. Pas avec ce que je lui ai administré avant son départ...

(Pause.)

Dr B. : Angela ? Vous êtes toujours là ?

A. F. : Oui, j'envoyais un message pendant que vous parliez. Mais je n'ai pas perdu une miette de vos explications. Je pense avoir une solution. Je mets Cyril, mon homme de confiance, sur le coup. Il saura résoudre le problème, lui.

Dr B. : Et la poursuite du projet Mimesis ?

A. F. : On ne change rien pour ce qui concerne la remplaçante. J'ai toujours besoin d'elle ce week-end. Un convoyeur se présentera à la clinique ce soir. Vous la lui confierez comme convenu. Toutefois, nous allons apporter une légère modification à notre plan.

Dr B. : Laquelle ?

A. F. : Bouclez votre valise. Vous l'accompagnez à Paris. Je vous y rejoindrai. Il faut que nous ayons un entretien en tête-à-tête.

Dr B. : *(court silence – respiration saccadée)* Difficile d'abandonner mes patients...

A. F. : Ce n'est pas une suggestion, docteur. Nos actionnaires exigeront un rapport complet sur ce fâcheux contretemps. Nous avons intérêt à préparer la confrontation afin de les satisfaire. Sinon, la prochaine équipe d'intervention se déplacera pour nous !

4

– Tu ne sais vraiment pas qui tu es ?

Il y a autant d'incrédulité que d'admiration dans la voix de Betty.

– J'ai beau me concentrer, je vois toujours les mêmes images, ce stupide concert et cette beauté blonde...

– Lydia.

– Oui. Pas du tout mon portrait, hein ?

Betty esquisse une moue approbatrice, mais se retient de trop en faire de crainte d'embarrasser celle que, faute de mieux, la petite bande a choisi de nommer la star des ados du monde entier. Un coup d'œil sur son site officiel a permis de vérifier qu'elle est bien la vedette des visions de leur Lydia. En voyant la chanteuse se trémousser, moulée dans une tenue hyper sexy, sur l'écran du smartphone de Marco, à l'occasion d'un show enregistré quelques semaines plus tôt à Barcelone, le rêve a momentanément rejoint la réalité. Les paroles de la chanson intitulée *Shake It All* sont remontées à la surface de sa mémoire en même temps qu'elles sortaient du haut-parleur, étrangement prémonitoires :

> *Shake, shake, shake it all,*
> *No more pain for ever,*
> *I just can remember*
> *My fun and not my fall*[1].

– N'empêche, reprend Betty, je t'envie. J'aimerais oublier certaines choses, moi aussi.

Inutile de préciser à quoi la punkette aux épis rose fluo fait allusion. D'ailleurs, personne n'a plus évoqué la terrible scène de la veille, sinon pour s'étonner du silence des médias, le matin même, en consultant les journaux en ligne.

– Peut-être que des bestioles ont boulotté le cadavre, a avancé Marco.

– Bien sûr, a ironisé Peter. Et après le festin, elles ont creusé une tombe et ont enterré le squelette…

Ce qui a marqué la fin de la discussion. Chacun a ensuite mis la main au chargement du camion et au nettoyage du site de la free party, avant de lever le camp. Pendant ce temps, Lydia recevait les ultimes explications d'Isa tout en contemplant son reflet dans le miroir de la secouriste.

---

1. Mélange, mélange, mélange tout/Plus jamais de souffrance/Je veux seulement me souvenir/Des choses drôles et pas de ma chute.

– Tu vois les marques autour de tes lèvres et de tes yeux ? Sur ton front, à la racine des cheveux ? Et autour de tes pommettes et de ton nez. Aucune partie de ton visage n'a été épargnée. On t'a intégralement reconstruite. Dès que les chairs auront désenflé et que ta peau aura repris sa couleur normale, personne ne se doutera de rien. C'est vraiment du très beau travail.

– Ce n'est pas l'adjectif le plus approprié. Quitte à me reconstruire, pourquoi ne pas m'avoir rendue moins moche ?

– N'exagère pas ! À t'entendre, on croirait que tu es un laideron...

– Regarde ce nez en forme de boule ! Ces lèvres sans relief, presque inexistantes ! Et ce grand front tout plat ! Je n'arrive pas à me reconnaître, Isa !

– Parce que l'effet des saletés qui circulent dans tes veines n'est pas complètement dissipé. Ton cerveau n'a pas retrouvé tous ses repères. Mais ça viendra, si tu arrêtes la dope.

– Pas de souci, je n'ai aucune envie de me shooter ! Je suis au moins sûre de ça. Pour le reste, en revanche...

Un coup de klaxon les a interrompus. Après de brefs adieux, Lydia est grimpée à l'arrière du camion avec Betty. Elles ont dû se serrer dans le peu d'espace disponible entre les caisses du sound system. Cette proximité forcée ne déplaît toutefois pas à Lydia, qui trouve dans la punkette une confidente bienvenue.

– Je ne suis même pas certaine de l'âge que j'ai ! lui avoue-t-elle. Tu te rends compte ?

Elle est obligée de forcer sur ses cordes vocales, toujours sensibles, pour couvrir les vrombissements du moteur.

– Et moi, quel âge tu me donnes ? rétorque Betty.

Avec son excès de maquillage et sa coupe hors du commun, elle pourrait aussi bien avoir seize ans que le double.

– Aucune idée, finit par admettre Lydia. Tu es jeune, c'est sûr, mais je n'arrive pas à me décider.

– Justement, ça n'a pas d'importance. Je m'en fous à un point, si tu savais ! Ne te prends pas la tête. Les nanas qui focalisent sur leur âge vieillissent mal de toute façon !

Elles échangent un sourire, scellant une complicité née quelques heures plus tôt, peu après le réveil de Lydia. Alors, la petite amie de Peter a mis à sa disposition une pleine malle de fripes chinées un peu partout sur les marchés aux puces d'Europe, au gré des errances de la bande et des rassemblements de teufers.

Tant pis si ses nouveaux vêtements ne sont pas d'une impeccable propreté ! Lydia apprécie la chaleur qu'ils lui procurent – sans compter qu'ils lui confèrent un look unique, pas aussi destroy que celui de Betty, mais suffisamment pour imposer ce qui lui manque le plus en ce moment : une identité. Bien sûr, un nom et un passé seraient préférables...

– Désolé de vous interrompre, les filles, lance Marco depuis l'avant du camion. On arrive à la frontière. Même si les douaniers suisses sont plutôt cool dans le coin, vaut mieux prendre nos précautions.

Comprenant ce qu'il attend d'elle, Betty hoche la tête d'un air entendu. Elle soulève le pan de moquette à ses pieds, puis désigne la petite trappe découpée dans le plancher.

– Glisse-toi jusqu'au fond du compartiment et ne fais aucun bruit jusqu'à ce que je te délivre. T'es pas claustro, au moins ?

Comme elle ignore la réponse à cette question, Lydia préfère en poser une autre :

– À quoi ça sert, ce truc ?

– Pour l'instant, à te cacher. En temps normal, à stocker les réserves de beuh de Marco. Le compartiment est coincé entre les réservoirs du bahut, l'odeur du gasoil masque celle de l'herbe, même les chiens des keufs se font avoir ! Dès que tu seras à l'intérieur, on déplacera les flight cases pour qu'ils couvrent l'ouverture. La planque idéale, quoi !

– Tant que vous ne m'oubliez pas dedans...

Sur cette tentative de plaisanterie, Lydia se contorsionne pour pénétrer dans l'étroit caisson métallique aux dimensions de cercueil, saturé d'un parfum piquant et de vapeurs d'essence. Ses muscles protestent pour la forme, mais dans l'ensemble ses membres lui obéissent sans trop de difficulté depuis qu'Isa lui a prodigué ses soins.

La trappe se referme avec un bruit sec. Une obscurité totale, oppressante, enveloppe la jeune fille. Allongée sur le dos, dans l'impossibilité de se retourner, elle écoute grincer les essieux du camion, secouée par le relief de la route.

Pour tromper l'angoisse qu'elle sent poindre, elle égrène un décompte approximatif. Arrivée à mille, soit plus d'un quart d'heure, des crampes raidissent ses cuisses et ses mollets. L'inconfort de sa position devient presque insoutenable.

Lydia se mord la lèvre inférieure, crispe les poings, concentre toute son attention sur le compteur virtuel qui défile sous son crâne. Parvenue à mille cinq cents – vingt-cinq minutes –, elle commence à éprouver des difficultés à respirer.

Pourquoi est-ce si long ? Marco avait prévenu qu'ils approchaient de la frontière. Et s'il avait menti ?

Un horrible pressentiment perturbe soudain les pensées de Lydia. Elle vient à peine de rencontrer Marco, Betty et Peter et elle n'a pas toute sa tête en ce moment. Peut-être a-t-elle eu tort de leur accorder d'emblée sa confiance.

Ils m'ont secourue, tout de même ! Ils auraient très bien pu me laisser croupir dans le ravin. Betty se serait évité de gros ennuis. C'est un peu ma faute si elle a dû tirer sur Tibor...

Oui, mais ce sont des marginaux, des délinquants, organisateurs de fêtes illégales et même des trafiquants ! J'ai été assez bête pour croire qu'ils allaient s'occuper de moi !

Et si Peter, très cool en apparence, avait préféré négocier avec les autorités pour qu'elles ferment les yeux sur le petit commerce de Marco, par exemple ?

Non, ce n'est pas logique... Jamais les douaniers n'accepteraient un marché pareil ! Tu es devenue complètement parano !

Il y a une autre possibilité, plus effrayante encore...

Si le garçon aux piercings l'avait balancée pour le meurtre de Tibor, afin de sauver Betty ?

Ce serait parole contre parole et, dans les circonstances actuelles, la sienne ne vaut sûrement pas grand-chose ; une droguée, une amnésique, une fugitive, qui la croirait ?

Ne manquerait plus qu'une accusation pour homicide et le tableau serait complet : la mystérieuse inconnue deviendrait l'ennemie publique numéro 1 !

*Extrait de conversation téléphonique cryptée
entre Angela Fauster et Cyril.*

A. F. : C'est moi. Je viens aux nouvelles. Où en êtes-vous ?

C. : Je crois que j'ai trouvé une piste intéressante, madame.

A. F. : Je n'en attendais pas moins de vous. À peine sur place et déjà sur le coup ! De quoi s'agit-il ?

C. : En enquêtant sur les lieux de l'accident, je suis tombé sur un joint à demi consumé. J'ai repéré également les traces d'un gros véhicule. Renseignements pris dans la vallée, des jeunes m'ont confirmé qu'une rave sauvage avait été organisée dans les alpages. Je me suis montré persuasif et ils m'ont indiqué l'endroit.

A. F. : J'espère que vous ne les avez pas trop malmenés...

C. : Juste ce qu'il faut, vous me connaissez, madame. Je sais que nos raveurs ont levé le camp en quatrième vitesse, quelques heures après la disparition de la cible.

A. F. : Étrange coïncidence, en effet. Mais s'ils vous ont devancé et se sont éparpillés entre la France, la Suisse, l'Allemagne et l'Italie, je ne vois pas comment leur remettre la main dessus.

C. : On m'a donné le nom d'une employée de l'hôpital du coin, présente à la fête en tant que secouriste. J'ai pensé que...

A. F. : Si la fille a été récupérée au bord de la route par un groupe de raveurs, ils l'auront certainement conduite au poste de secours le plus proche !

C. : Exactement. Je compte interroger l'aide-soignante dans les plus brefs délais. Le temps presse, la cible peut se trouver n'importe où au cœur de l'Europe. Si cette personne se montre récalcitrante, je devrai recourir à certaines méthodes de persuasion...

(Pause.)

A. F. : Si possible, Cyril, évitez de trop fâcheuses conséquences pour la personne en question...

C. : Tout dépendra de son degré de collaboration.

A. F. : *(soupir)* Comme toujours, hélas ! Tenez-moi au courant dès que vous aurez terminé.

C. : Entendu, madame. À très bientôt.

5

La voix dans l'interphone est encore lourde de sommeil lorsqu'elle répond à la troisième sonnerie :

– *Oui, c'est pour quoi ?*

– Office Fédéral de Police, mademoiselle. Désolé de vous déranger pendant votre jour de congé.

– *La fedpol ? À quel sujet ?*

Cette fois, le ton est plus clair. Moins assuré, toutefois. Personne n'aime recevoir les flics chez lui, surtout au dépourvu. Plus encore lorsqu'on a quelque chose à se reprocher.

– J'appartiens à la Division principale services, mademoiselle.

C'est fou le genre d'infos qu'on trouve sur le Net ! Un bon smartphone, un brin d'imagination, et le tour est joué : vous dégottez les coordonnées de n'importe qui et vous vous transformez en un tournemain.

– Je m'occupe des personnes disparues et j'ai deux ou trois questions à vous poser dans le cadre d'une de mes enquêtes.

– *Moi ? Vous êtes sûr ?*

– Vous étiez présente lors du rassemblement illicite qui s'est tenu dans la montagne ces derniers jours. J'ai réuni plusieurs témoignages en ce sens.

– *Oh. Oui, j'y étais...*

– Pouvez-vous m'ouvrir la porte, mademoiselle ? Il me serait plus facile de vous parler de visu. Je n'en ai pas pour longtemps, c'est promis.

Le convoyeur dépêché par Angela ouvre des yeux étonnés en découvrant sa passagère au moment où elle grimpe à l'arrière de l'hélicoptère. Le docteur Beller s'installe, lui, à l'avant et coiffe un casque semblable à celui du pilote. Cela permet aux deux hommes d'échanger par liaison radio sans que la jeune fille surprenne leur conversation, couverte par le vrombissement du rotor.

– Alors c'est elle ? Incroyable comme elle ressemble à la première !

– Évidemment, lâche Beller, se retenant d'ajouter : espèce de crétin !

Au lieu de quoi il demande :

– À quoi vous attendiez-vous ?

– Je ne sais pas trop. Vous êtes sûr que c'en est une autre ?

Beller pousse un grognement de mépris. Angela ne s'entoure pas que d'intelligences brillantes, comme la sienne...

– On peut décoller ? Je n'aimerais pas arriver en retard.

– Ne vous inquiétez pas, monsieur. Vous serez à l'heure à votre rendez-vous.

Son rendez-vous ! Comme s'il s'agissait d'une simple réunion d'affaires et pas d'une potentielle remise en cause de sa carrière... Tout ça par la faute de cet incapable de Tibor ! À jouer les Sébastien Loeb, cet imbécile a compromis le plan impeccable du docteur. Le premier sujet n'était pas censé disparaître aussi près de la clinique, mettant en danger la poursuite du projet Mimesis... Les actionnaires ne manqueront pas de lui reprocher cette négligence. C'est lui qui a élaboré le protocole de reconditionnement par hypnose et imaginé la métamorphose du sujet en zonarde anonyme. Toutefois, il n'aurait pas échafaudé un plan pareil sans l'insistance d'Angela. Car la big boss se sent *responsable* du premier sujet...

– Il faut qu'elle attache sa ceinture, monsieur ! avertit le pilote.

Interrompant le cours de ses pensées, Beller se tourne vers la passagère, occupée à fixer un point indéfini avec la plus grande attention. Il boucle le harnais, s'assure qu'elle est installée au mieux, puis lève le pouce à l'adresse du convoyeur.

– Allons-y ! Il est temps de livrer la marchandise !

– Je... Je vous jure que... que j'ignore où elle est ! Pitié, laissez-moi tranquille...

– Chut ! Ne vous abaissez pas à supplier, Isabelle. Je trouve ça dégradant. Je vais vous reposer encore une fois la question, et vous prendrez le temps de réfléchir avant de répondre, d'accord ? Oui ? Alors, avec qui la gamine est-elle repartie, et pour quelle destination ? Attention, vous n'avez plus droit à la moindre erreur ! Sinon, je continue à m'amuser avec cette magnifique chevelure et ce briquet... Sauf que je ne suis pas sûr d'éteindre les flammes avant qu'elles atteignent la peau, cette fois. Pas sûr du tout...

– Pe... Peter ! Il s'appelle Peter, je ne connais pas son nom de famille, je vous le jure !

– Tss tss. Vous m'obligez à vous faire du mal...

– Mais je sais où il vit entre deux free parties ! Pitié, éteignez ce briquet !

– Ah, voilà qui est plus raisonnable. Dommage, on commençait tout juste à faire connaissance. Bon, je vous écoute, vous me parliez de l'endroit où habite ce fameux Peter...

6

Des nuages de plâtre défraîchi évoluent dans le ciel au milieu de taches d'humidité noirâtres quand Lydia rouvre les yeux. Au bout de quelques secondes, son regard s'arrête sur ce plafond sordide, enfin immobile.

Elle se redresse sur un matelas jauni par la crasse, dépourvu de drap et d'oreiller. On l'a presque entièrement déshabillée, ne lui laissant que ses sous-vêtements et le tee-shirt prêtés par Betty.

Le dénuement total de cette chambre la frappe. Les murs sont couverts d'un papier dont les couleurs se sont fondues dans un beige terne. La couche de poussière sur le plancher témoigne de l'abandon des lieux.

Un endroit parfait où séquestrer la victime d'un rapt...

Sauf qu'un agréable courant d'air filtre par la fenêtre entrouverte. Elle n'est donc pas prisonnière !

Soulagée, Lydia se lève, encore ankylosée, et s'approche des vitres fêlées – certaines manquent, remplacées par un morceau de carton.

Envolées, montagne et forêt ! À la place, elle découvre un paysage de friche industrielle, patchwork de terrains vagues et de carcasses d'usines où ne règne plus aucune activité. De hautes cheminées de brique se dressent çà et là, tels des donjons oubliés. Les fils d'une ligne à haute tension ploient sous leur propre poids entre les bras écartés des géants métalliques postés de loin en loin, jusqu'à l'horizon planté de barres d'immeubles et de tours, assez lointaines pour ressembler à des maquettes.

– Ah, tu es enfin réveillée !

Lydia sursaute. Elle n'a pas entendu Betty pousser la porte.

– Où… où sommes-nous ?

– En sécurité. Tu nous as flanqué une sacrée trouille ! On a cru que tu étais…

La punkette marque une hésitation, secoue sa tignasse rose fluo puis conclut :

– Tu es juste tombée dans les vapes. Pas étonnant, avec ce que tu as dû respirer dans la planque de Marco !

– Oui, je me suis fait un drôle de film… Un bad trip, comme dirait Isa.

Betty affiche soudain une drôle de grimace.

– Quoi ? demande Lydia. Il y a un problème ?

– Je ne sais pas, en fait. Peter s'inquiète pour Isa. Il essaie de la contacter depuis qu'on est arrivés mais elle ne répond pas à ses SMS, ni même au téléphone.

Après un silence gêné, la punkette préfère changer de sujet :

— Tu dois avoir envie de te laver. Viens, je vais te montrer comment fonctionne la douche. On a un système cent pour cent écolo de récupération d'eau de pluie, chauffée grâce à un poêle bricolé maison, lui aussi. Ce n'est pas super efficace, mais au moins c'est gratuit ! Une fois propre, rejoins-nous en bas pour le petit-déjeuner.

— Bienvenue au squat ! la salue Marco quand elle pénètre dans la cuisine. Alors, qu'est-ce que tu penses de notre home, sweet home ?

— C'est tranquille, élude-t-elle.

Pas irréprochable niveau hygiène et sécurité, mais je suppose qu'on ne peut pas tout avoir...

— Ouais, les voisins nous foutent une paix royale ! Ici, tout est possible, ou presque.

Avec un clin d'œil, Marco entreprend de se rouler un joint d'une main experte. Assis à l'autre extrémité de la table montée sur tréteaux, Peter manifeste sa désapprobation d'un claquement de langue. Puis il invite Lydia à prendre place sur le banc, à ses côtés.

— Désolé pour le coup de la douane. Les Suisses n'ont pas été plus tatillons que d'habitude, en revanche la PAF nous est tombée dessus quelques kilomètres plus loin.

— La PAF ?

– Police aux frontières. Les flics français chargés du contrôle de l'immigration. Ils ont été attirés par les déplacements des teufers qui rentraient chez eux. Parfois, dans le lot, ils chopent quelques illégaux, des sans-papiers. Ils ont contrôlé chaque flight case du sound system, histoire de nous emmerder.

– Et on les a niqués une fois de plus ! fanfaronne Marco. Sont trop cons...

– Y a pas qu'eux, l'interrompt brusquement Peter.

Piteux, Marco bafouille de vagues excuses, puis s'abîme tout entier dans la confection du filtre de son pétard.

– Je ne suis pas stupide, lance alors Lydia, défiant Peter du regard. Je me doute que tu ne transportes pas seulement ta sono ou de l'herbe dans ton précieux bahut. Sinon, pourquoi aménager une planque aux dimensions d'un être humain ? Je me fiche que tu sois un passeur de clandestins. J'ai un problème plus sérieux, au cas où tu n'aurais pas pigé...

– Pas la peine de t'énerver. Je ne te prends pas pour une idiote. Mais je dois protéger ma filière, tu comprends ? Trop de choses bizarres sont arrivées depuis ton accident. D'abord l'autre enragé sur la route, qui essaie de nous buter, ensuite les keufs qui s'excitent et pour finir Isa qui ne répond plus à mes messages... Tout ça en moins de vingt-quatre heures ! Tu avoueras qu'il y a de quoi devenir méfiant. Qui que tu sois en réalité, on ne peut pas dire que tu laisses le monde indifférent !

Avant que Lydia ait répondu, Betty déboule dans la cuisine en brandissant une tablette numérique.

– Tu ferais mieux de voir ça, Peter.

– Qu'est-ce que c'est, bébé ?

– Les infos de la télé suisse. Le reportage vient d'être mis en ligne…

Exsangue sous son maquillage, la punkette se glisse sur le banc et s'accroche au bras de son compagnon en essuyant une larme.

Par-dessus l'épaule du garçon, Lydia parvient à distinguer les images sur l'écran. La carcasse calcinée d'un petit immeuble fume à l'arrière-plan d'un cordon de pompiers et de policiers assaillis par une foule de journalistes. Un bandeau défile en surimpression, répétant les mêmes mots, cruels dans leur simplicité :

« *Incendie dans le centre de Berne, une victime à déplorer, Isabelle R., surprise dans son sommeil.* »

7

— Bienvenue au *Plaza Athénée*, mademoiselle Lydia ! La direction de notre établissement est fière de vous accueillir pendant votre séjour à Paris. Nous avons mis l'une de nos plus belles suites à votre disposition. Vous pourrez y recevoir la presse...

— Merci, coupe Max en repoussant le concierge du palace. Lydia est épuisée par sa tournée. Elle a besoin de calme et surtout de discrétion. Je compte sur vous, ajoute-t-il en glissant un billet de deux cents euros dans la paume de l'homme aux clés d'or.

Celui-ci s'incline avant de regagner la réception, tandis qu'une armée de grooms se charge des bagages de la jeune star et de son entourage.

Max adresse un signe à Jenny. Encadrant leur protégée, ils se dirigent vers les ascenseurs. Lydia avance d'un pas mécanique, soutenue par l'attachée de presse. Ses larges lunettes noires lui masquent la moitié du visage et un foulard dissimule sa célèbre chevelure dorée. Elle n'a pas prononcé le moindre mot depuis sa descente de l'hélicoptère, une heure plus tôt.

– Est-ce que ça va ? s'enquiert Jenny.

Comme Lydia ne répond rien, elle insiste :

– Tu n'as pas l'air dans ton assiette...

– Elle a pris un calmant avant de monter dans l'hélico, élude Max. Tu sais que voler l'angoisse. Elle ira mieux bientôt, inutile de t'inquiéter.

Au ton du manager, Jenny comprend que sa curiosité l'irrite. Aussi préfère-t-elle ne rien ajouter.

Une fois dans la suite, Max conduit Lydia dans sa chambre.

– Tu peux nous laisser quelques instants ? demande-t-il à l'attachée de presse.

Sans attendre la réponse, il lui ferme la porte au nez. Passé un moment de stupéfaction, Jenny s'occupe en rangeant ses affaires, vérifiant sur son agenda les rendez-vous prévus pour la journée. Au milieu de la matinée, Lydia doit rencontrer la présidente de son fan-club et lui présenter ses excuses pour l'incident de Strasbourg. Sera-t-elle en état de se prêter à l'interview ? Les trois semaines de repos en Suisse ne semblent guère lui avoir été bénéfiques...

– Tout va bien, annonce Max, de retour dans le salon.

– Tu trouves ? Lydia est assez bizarre, non ?

– La cure du docteur Beller produit parfois ce genre d'effet... Je t'assure qu'elle est au top. Il lui faut juste un peu de temps pour se remettre les idées en place.

– Drôle de type, ce Beller. Il ne m'a pas paru très sympathique.

Jenny conserve l'image d'un homme corpulent et bourru, entraperçu dans le hall de l'aéroport le temps d'une brève conversation avec Max. Après avoir confié au manager une petite trousse médicale – le traitement de Lydia –, il s'est éclipsé en compagnie d'un employé anonyme du groupe, un grand costaud en costume noir avec une oreillette.

– Sans doute le stress du vol, dit Max.

– Il n'avait pas non plus l'air heureux d'être à Paris...

– Peut-être, mais ça ne te regarde pas, OK ? Écoute mon conseil : oublie ce que tu as vu. Concentre-toi sur ton job. L'entretien avec Marjorie doit se dérouler à la perfection. Angela s'est montrée très explicite. Nous n'avons pas droit à l'erreur. Sinon, on le regrettera, crois-moi !

– Décontractez vous, docteur. Il ne s'agit pour l'instant que d'une simple conversation. Un verre ?

– Non, merci. J'aimerais garder les idées claires, Angela.

La big boss acquiesce. Elle pioche néanmoins une mignonnette de vodka dans le minibar avant de rejoindre son « invité » sur le sofa.

– Moi, ça m'aide à réfléchir. Surtout avec le décalage horaire !

Derrière la baie vitrée parfaitement insonorisée, le ballet incessant des long-courriers rappelle la proximité des pistes de l'aéroport international. Comme chaque fois qu'elle fait escale en Europe, Angela Fauster ne s'éloigne pas du jet privé mis à sa disposition par les actionnaires de BEST. Parce qu'elle est toujours susceptible de s'envoler sur ordre express des véritables maîtres du groupe, au gré de leurs innombrables investissements, répartis dans le monde entier. Même si pour un subalterne tel que Beller, elle demeure la plus haute autorité avec laquelle discuter.

– Mimesis recèle d'infinies promesses de bénéfices, attaque-t-elle bille en tête. Les marchés potentiels n'ont guère de limites que notre imagination. Et de naïves considérations morales et politiques qu'un lobbying agressif finira par réduire à néant. Cependant nous avons peut-être négligé le facteur humain...

Elle marque une pause et vide la moitié de la petite bouteille d'un trait. Beller ne l'a jamais vue adopter un tel comportement. Un signe de nervosité, malgré le calme apparent. Une faille dans la cuirasse, songe-t-il, troublé.

Angela a toujours parfaitement maîtrisé ses gestes et son attitude en sa présence. Il se souvient avoir été impressionné lors de leur première rencontre, quand lui-même se trouvait au bout du rouleau, viré comme un malpropre de son laboratoire, dénigré par ses collègues et la communauté scientifique pour ses pratiques jugées scandaleuses.

Angela l'avait alors tiré du gouffre d'ignominie où son audace l'avait plongé. Elle s'était présentée comme une chasseuse de têtes pour le compte d'un très important consortium aux multiples intérêts. D'abord méfiant, Beller avait vite changé d'avis en découvrant le salaire proposé et les moyens mis à sa disposition pour poursuivre ses travaux en toute discrétion.

– Exposer le sujet sur la scène médiatique était une excellente idée, poursuit Angela. Les actionnaires du groupe l'ont d'ailleurs appréciée à sa juste valeur. Lydia est la meilleure publicité imaginable pour le projet Mimesis. En trois ans, elle a suscité l'intérêt d'un nombre inespéré de clients potentiels. Une fois les derniers obstacles législatifs levés, BEST créera le marché des RP et en retirera les bénéfices.

– Les RP ?

– Répliques Personnelles. Le nom n'est pas définitif, le staff marketing travaille toujours dessus. Vous comprenez pourquoi il importe de ne pas tout compromettre aujourd'hui ?

– Écoutez, Angela, je regrette la défaillance de Tibor, mais j'ai procédé au reconditionnement du sujet. Même si elle s'est montrée plus rétive que prévu lors de la seconde phase, je suis sûr qu'elle a oublié ses trois années sous le feu des médias. Elle ne présente aucun danger pour le groupe...

– Je me suis sans doute montrée trop humaine en plaidant auprès des actionnaires pour le retrait du premier sujet. C'était une erreur compréhensible, non ?

La question prend le docteur de court. Il acquiesce avec un temps de retard.

– Tout à fait compréhensible, oui, vu la situation. Après tout, vous êtes quand même sa...

Angela l'interrompt d'un geste brusque.

– Taisez-vous !

Elle jette des regards inquiets aux quatre coins de la pièce, comme si elle craignait qu'on les écoute. Et c'est peut-être le cas, devine Beller. Il convient de s'exprimer avec la plus grande prudence...

– Cette erreur d'appréciation sera réparée sous peu, reprend Angela en consultant l'heure au bracelet de métal précieux de sa montre.

– Que voulez-vous dire ?

– Cyril va passer à l'action. Avant le milieu de la journée, il ne restera plus qu'une seule Lydia en activité.

– C'est pour ça que vous m'avez convoqué ? Vous voulez m'avoir à l'œil pendant que votre homme de main règle le problème. Parce que vous avez deviné que je me serais opposé à cette pratique ignoble !

– Le facteur humain, docteur, ne négligez pas le facteur humain, répète Angela en souriant tristement. Avec lui, on a toujours des surprises...

8

– Je n'arrive pas à y croire, avoue Peter. Isa serait morte dans un incendie accidentel ?

– Tu as lu les articles en ligne, rappelle Betty. D'après les premiers résultats de l'enquête, elle s'est endormie avec une cigarette allumée...

– Vingt-quatre heures après qu'on a été obligés de tuer un type en pleine montagne pour se défendre ! Drôle de coïncidence.

– Pas « on », rectifie Betty. C'est moi qui ai tiré.

– C'était de la légitime défense. Tu n'avais pas le choix. Personne ne te blâme.

La punkette se blottit en soupirant contre le torse de son petit ami. Affalé sur la banquette d'une vieille carcasse de bus montée sur cales dans l'arrière-cour du squat envahie par les mauvaises herbes, le couple tente en vain de profiter d'un moment d'intimité. Pourtant le cœur n'y est pas depuis qu'ils ont appris l'incendie de Berne.

– Qu'est-ce que tu décides, pour Lydia ? demande finalement Betty.

– Je sais que tu l'aimes bien, mais reconnais qu'elle ne tourne pas rond, cette nana. Elle nous attire plein d'emmerdes…

– Tu voudrais t'en débarrasser ?

Au tour de Peter de soupirer.

– On ne peut pas la lâcher comme ça dans la nature. Ce serait une proie idéale pour les détraqués et les pervers qui guettent les jeunes paumées. D'un autre côté, tant que les potes de ce Tibor lui courent après, ça craint pour nous. Si seulement elle se rappelait d'où elle vient ! On la ramènerait chez elle… Elle a bien une famille quelque part !

– Elle a essayé de se souvenir, ce matin encore. Je l'ai même enregistrée sur ma tablette… Tout ce qu'elle a dans la tête, c'est ces conneries de clips avec l'autre Lydia.

– Et s'il y avait un lien ?

– Comment ça ?

– Eh bien, il me semble qu'on retient les trucs vraiment importants et que le cerveau les ressort en cas de besoin. Réfléchis deux minutes, bébé. Ces images qui tournent en boucle sous son crâne ont sûrement un sens. Je suis pas hyper calé en la matière, mais on a tous un inconscient !

– Mouais, consent Betty. En tout cas, ça vaut le coup d'explorer cette piste. Attends un peu…

S'arrachant à l'étreinte de Peter, elle fouille le sac abandonné dans la travée du bus pour en extraire sa tablette numérique.

166

– Tu fais quoi ? interroge Peter.

– Je cherche quelqu'un qui pourrait nous renseigner sur Lydia, la vraie. Un barje suffisamment calé pour tout connaître de sa vie. Il suffirait de le mettre en relation avec notre Lydia, peut-être qu'en discutant un peu ils parviendraient à déchiffrer le sens du message…

– Génial, bébé ! On t'a déjà dit qu'en plus d'être super bien roulée, t'étais un vrai cerveau ?

– Pas autant que je me souvienne, non, s'amuse Betty. Ah, voilà, j'ai trouvé… Le blog s'appelle *Lydia forever !*, il est tenu par la présidente de son fan-club… Il y a même une adresse mail pour la contacter !

Accroupi sur le perron, les écouteurs de son iPod enfoncés dans les oreilles, Marco savoure un nouveau joint tout en se prélassant au soleil dont les rayons réchauffent la façade du squat. Le rythme lourd et lancinant d'un vieux tube reggae le plonge peu à peu dans un état de transe éveillée, entretenue par les effets du cannabis.

Depuis qu'il a appris la mort d'Isa, Marco éprouve un besoin impérieux de se déconnecter de cette putain de réalité. Ça lui évite d'affronter les sentiments provoqués par la nouvelle : chagrin, tristesse, colère, regrets…

Il a toujours été attiré par la jolie Afro-Helvète, sans jamais oser le lui avouer. Et maintenant, il est trop tard.

Les yeux rougis, embrouillés de larmes, il monte encore le son de son baladeur.

Et n'entend pas la voiture noire, aux vitres teintées, remonter la ruelle déserte, crevassée de nids-de-poule, qui longe les abords du squat.

Il ne voit pas davantage la silhouette du conducteur se glisser par une brèche dans la clôture et s'approcher de la baraque décrépite, mais pour une tout autre raison : l'homme est un professionnel, rompu à ce genre d'intrusion, aussi rapide qu'efficace.

Le coup de matraque asséné à la base de sa nuque déconnecte pour de bon Marco de la réalité.

Discuter avec Betty n'a pas suffi à la rasséréner. Lydia n'en est pas moins reconnaissante à la punkette pour ses efforts.

Elle ignore toujours qui elle est et pourquoi le sort s'acharne sur elle et ceux qui lui viennent en aide. Cependant, pour la première fois depuis sa fuite dans la forêt, elle peut souffler et prendre le temps de réfléchir en toute sécurité...

– Toc toc, susurre une voix inconnue dans son dos. Salut, Lydia.

Réprimant un cri, elle fait volte-face pour découvrir sur le seuil de la cuisine un homme d'une trentaine d'années, impeccablement vêtu, les traits d'une incroyable régularité, terriblement séduisant.

– Qui... qui êtes-vous ? On se connaît ?

– J'ai fréquenté la clinique du docteur Beller, moi aussi, répond l'inconnu avec un geste de la main en direction de son visage. Pas pour les mêmes raisons que toi. J'avais besoin de retrouver l'anonymat, tandis que tu étais tout juste née.

Le discours de l'intrus n'a aucun sens. Il devait être adolescent au moment de la naissance de Lydia. Comment auraient-ils pu se croiser une quinzaine d'années plus tôt ?

– Je m'appelle Cyril, continue-t-il. Je vais te ramener à la maison. Là où tout a commencé pour toi.

– Je ne comprends rien à ce que vous dites. Si vous approchez encore, je hurle et…

– Je ne crois pas, la coupe Cyril en tirant un revolver de sous son aisselle d'un geste si rapide que l'arme semble apparue par magie dans sa main.

Puis, après un bref coup d'œil sur les murs et le plafond aux poutres apparentes, il ajoute avec un sourire éclatant :

– L'endroit me paraît idéal pour allumer un feu de joie !

Bienvenue sur le blog de Marjorie

Lydia forever !

Cette fois, ça y est, mes lecteurs adorés ! Je sors tout juste de la suite de Lydia, où nous avons papoté en tête-à-tête (enfin, presque – son manager et son attachée de presse n'étaient jamais bien loin !) pendant près de deux heures.

J'ai tout enregistré et il ne me reste plus qu'à retranscrire l'interview pour vous la faire partager, comme promis.

Je me mets au travail dès cet après-midi. Autant profiter du confort de l'hôtel cinq étoiles jusqu'au bout !

Je rentre en effet chez moi demain, de fabuleux souvenirs plein la tête.

Je regrette toutefois que Cyril n'ait pas pu s'occuper de moi davantage ☺. Hé oui, le pauvre a dû s'absenter pour chouchouter d'autres invités de BEST et son remplaçant est beaucoup moins mimi (j'espère qu'il ne lira pas mon blog!)... Mais que voulez-vous, on ne gagne pas à tous les coups!

Pour en revenir à ma rencontre avec Lydia, je flotte encore sur un petit nuage.

J'étais hyper nerveuse en entrant dans la suite, même si Jenny a tout fait pour me mettre à l'aise. Cette fille-là est vraiment géniale, pleine d'attentions, une super attachée de presse!

Quand Lydia est apparue, j'ai bien cru que j'allais pleurer, comme l'autre jour, à Strasbourg, juste avant que... Enfin, vous savez quoi!

Immédiatement, le courant a passé entre nous. Lydia ne ressemble plus du tout à la fille à bout de nerfs qui a eu ce geste si malheureux. Elle m'a avoué son secret : une cure de relaxation dans un des meilleurs établissements pour pipoles en plein burn-out (impossible de révéler l'adresse pour ne pas y attirer les paparazzis). Cette cure est tellement efficace que notre Lydia chérie donne l'impression d'avoir rajeuni!

Je l'ai trouvée d'une fraîcheur qui m'a rappelé celle de ses débuts, il y a trois ans, quand elle a surgi de nulle part avec son premier hit, le bien nommé *Born to Love You*, vous vous souvenez?

Bref, mes lecteurs chéris, c'est une Lydia plus géniale que jamais que vous découvrirez en exclusivité sur les pages de ce blog dès demain!

> Tro kool!!! méga LOL!!!
>
> *lolotte-de-nancy*

Je ne sais pas si je vais pouvoir fermer l'œil de
la nuit...

Aurélie

J'ai moi aussi hâte de découvrir les révélations
de notre nouvelle Lydia !

Camille

CONTACT

Échange d'e-mails entre Marjorie et Betty.

Boîte mail de Marjorie.
Message reçu aujourd'hui à 11 h 25.

Hello Marjorie,
Je t'écris au sujet d'une nouvelle amie qui a
beaucoup en commun avec toi. Elle s'appelle…
Lydia ! En fait, c'est le nom qu'on lui donne parce
qu'elle a dans la tête des images de l'autre Lydia,
celle que tu connais par cœur. Je sais que ça peut
paraître compliqué mais cette copine est carrément
amnésique et je pense que tu es en mesure de
l'aider à se rappeler qui elle est en réalité. Le
mieux serait qu'elle puisse te décrire ses visions.
Avec un peu de chance, tu sauras dire à quoi
elles correspondent et cela l'aiderait peut-être à
débloquer ses souvenirs. Je te jure que ce n'est pas
une blague. J'espère vraiment que tu prendras ma
demande au sérieux.
Betty

Boîte mail de Betty.
Réponse expédiée aujourd'hui à 11 h 49.

Chère Betty,
J'avoue que ton mail m'a surprise, mais ce n'est pas le plus bizarre que j'aie reçu depuis que j'anime mon blog, loin de là ! Si tu savais le genre de sollicitations qu'on m'adresse parfois sous prétexte que j'ai mes entrées auprès du manager de Lydia… Enfin, peu importe. J'aimerais venir en aide à ton amie dans la mesure de mes moyens. Pourquoi ne lui proposes-tu pas de me décrire sa « vision » de Lydia dans un prochain mail ? Avec suffisamment de détails, je serai en mesure de lui dire si elle reflète un événement réel ou non, et si oui, lequel.
Bien à toi,
Marjorie, présidente-fondatrice de Lydia Forever ! Le plus ancien fan-club de Lydia.

Boîte mail de Marjorie.
Réponse expédiée aujourd'hui à 12 h 01.

J'ai beaucoup mieux à te proposer, Marjorie : la vidéo des confessions de ma Lydia (voir en pièce jointe). Attention, le fichier est plutôt lourd !
Betty

I

– Marjorie a répondu ! claironne Betty en agitant sa tablette sous le nez de Peter. Et elle n'a pas l'air de me prendre pour une cinglée.

– Manquerait plus que ça, bébé… Qu'est-ce qu'elle propose ?

– Que Lydia lui raconte ce qu'elle a dans la tête. Marjorie dit qu'elle saura si c'est ou pas du délire. Je lui ai envoyé une copie de ce qu'on a enregistré tout à l'heure.

– Tu crois que ça peut marcher ?

– Oui, j'espère. Viens, on va annoncer la nouvelle à Lydia. Elle doit zoner dans les parages.

Peter décolle avec un soupir de la banquette du vieux bus abandonné à la rouille. Si ça n'avait tenu qu'à lui, il aurait volontiers prolongé ce moment de farniente, mais comme l'attention de Betty est désormais accaparée par Lydia, autant en terminer avec cette histoire de vrai faux souvenir.

L'odeur caractéristique d'un bon feu de cheminée titille les narines piercées du garçon alors qu'il traverse l'arrière-cour en direction de la maison. La bâtisse, où la brique et le bois se taillent la part belle, a jadis été construite par le propriétaire de la fabrique, aujourd'hui détruite, qui occupait plusieurs hectares près de la frontière avec le Luxembourg. Les crises successives ont chassé les habitants depuis longtemps, à la satisfaction des néo-nomades dans le genre de Peter et sa bande.

– Marco se tape encore un mauvais trip, remarque-t-il en secouant la tête. Ce con a fait du feu alors qu'on crève de chaud !

Parvenue à hauteur du perron, Betty se fige devant la porte d'entrée, la main sur la poignée en métal.

– Ouah ! s'écrie-t-elle avec une grimace. C'est brûlant...

Protégeant sa paume avec la manche de sa chemise, elle s'apprête à déverrouiller le lourd battant quand Peter s'élance en hurlant :

– Bébé, non !

L'avertissement arrive trop tard. Déjà la punkette entrouvre la porte...

Une langue orangée et ardente jaillit par l'embrasure dans un ronflement de forge au moment précis où Peter ceinture la jeune fille pour la plaquer sur le béton craquelé.

La flamme avivée par l'appel d'air effleure et roussit la crête fluo de la punkette, qui se redresse aussitôt en appelant à pleins poumons :

– Marco ! Lydia !

178

Peter est obligé de la retenir pour l'empêcher de se précipiter dans le brasier.

– C'est fini, tu peux plus rien faire... Faut qu'on se casse de là !

Comme pour lui donner raison, les vitres des fenêtres de l'étage et du rez-de-chaussée explosent soudain sous l'effet de l'infernale chaleur, projetant des éclats de verre et des échardes plusieurs mètres à la ronde.

Peter et Betty battent en retraite sous une grêle de débris, tandis que la toiture du squat s'effondre bruyamment sur sa charpente fragilisée, ensevelissant tout espoir d'en tirer des rescapés.

Accrochés l'un à l'autre, ils franchissent en titubant la distance qui les sépare du hangar où se trouve parqué le camion du sound system, à l'autre extrémité de l'ancien domaine ouvrier, à l'abri d'éventuels regards indiscrets.

Peter actionne le démarreur en essuyant des larmes dues aux escarbilles et au chagrin, mais aussi à la rage qui fait battre son cœur au rythme du plus effréné des morceaux de speedcore.

Quelques instants plus tard, le bahut s'arrache en trombe des lieux du sinistre et file en direction de la bretelle d'accès à la voie rapide, destination la Belgique et le nord de l'Europe.

Le portable d'Angela émet une vibration en même temps que s'élèvent les premières notes numérisées d'une aria d'un opéra de Mozart. Question musique, les goûts de la big boss de l'agence BEST diffèrent radicalement des productions maison.

– Ah, Cyril! Alors, quelles nouvelles?... Parfait! Je vous félicite... Oui, il est à côté de moi... Non, aucune décision définitive. J'attends leur réaction... Oui, très bien, je vous tiens vite au courant.

Angela repose son téléphone sur la table basse puis se tourne vers son invité avec un air résolu. Le docteur Beller a parfaitement saisi la situation. Son sort est entre les mains des actionnaires du groupe en ce moment même. Du vote final dépendra non seulement son avenir, mais peut-être sa vie. Seule Angela est susceptible de plaider sa cause auprès des maîtres invisibles du puissant consortium. À lui de trouver les arguments qui la convaincront d'intercéder en sa faveur.

D'une voix pâteuse, il se lance :

– Le groupe ne peut pas m'écarter de Mimesis, pas à ce stade du projet, vous en avez conscience.

– Nul n'est irremplaçable, docteur. La preuve, notre chère Lydia!

Angela esquisse un triste sourire un peu forcé.

– C'est moi qui ai élaboré les protocoles de mise en culture des sujets, rappelle Beller, ainsi que la méthode de conditionnement. J'y ai consacré près de vingt ans de ma vie! Personne n'est aujourd'hui en mesure de me remplacer. Il faudrait absorber des quantités phénoménales de notes, rapports et autres comptes rendus d'expériences...

– Tout cela figure dans nos ordinateurs, l'interrompt Angela. Ils ont été analysés en temps réel par un collège d'experts formés dans les meilleures universités, du Massachusetts Institute of Technology jusqu'à l'University of Science and Technology of China. Vos découvertes ont donné du fil à retordre à nos petits génies, mais franchement, docteur, vous pensez tenir tête à la nouvelle génération de savants ? Pour ne rien vous cacher, ils ont déjà amélioré certains de vos protocoles, du moins en théorie. Ils sont désormais impatients de passer à la pratique.

– Alors tout est fichu...

Sans s'en apercevoir, Beller s'est exprimé à voix haute. De plus en plus nerveux, il fourrage les poils de sa barbe tout en s'agitant sur le sofa. Malgré la climatisation, de grosses perles de sueur dévalent de son front.

– Je ne parlerai pas, Angela, je ne trahirai jamais le secret !

– Comment puis-je en être sûre ?

– Je partirai, je disparaîtrai pour toujours, je changerai d'identité et d'apparence...

La main d'Angela se pose avec douceur sur le genou du docteur.

– Un jour viendra où le poids du remords sera un tel fardeau sur votre conscience qu'il vous faudra la libérer.

– Non, non, je le jure ! J'ai vécu sans scrupules jusqu'à aujourd'hui, je peux continuer encore longtemps... Je vous en supplie, Angela, il faut me croire !

Les notes grêles de l'aria retentissent à nouveau. Angela prend la communication sans plus se soucier du docteur. Elle n'a pas besoin de se présenter ou de dire quoi que ce soit. Pendant près d'une minute qui paraît à Beller durer une heure, elle se contente d'écouter la voix de son interlocuteur.

Lorsqu'elle raccroche finalement, la tension retombe d'un cran. Le sourire d'Angela s'adoucit, son regard pétille de compassion, et elle déclare :

– Tout est arrangé. Mon pilote vous raccompagnera en Suisse. Vous serez de retour dans votre clinique avant la fin de la journée. Avant de partir, vous ne refuserez pas de trinquer avec moi ?

2

L'imposante masse de la chaîne alpine domine et écrase le paysage, pour l'essentiel constitué de prés et de hameaux dispersés au creux de vallées encaissées.

Le ruban sinueux de l'autoroute se faufile au pied des montagnes, soutenu par les arches de béton d'une succession de viaducs. À travers les vitres teintées de la voiture, le ciel apparaît gris clair et le soleil à son zénith n'est qu'une tache floue, d'un blanc éclatant.

Prostrée sur la banquette arrière, un cordon de plastique enserrant ses chevilles et ses poignets, la bouche recouverte d'un bâillon, Lydia lutte pour ne pas sombrer dans la folie.

Le cauchemar cessera-t-il donc un jour ?

Rien ne permet de l'espérer. Pourtant, elle a cru profiter d'un répit en compagnie du trio de teufers – pourvu que Betty et Peter aient pu s'en sortir, au contraire de ce pauvre Marco…

L'obstination de ses ennemis confine à la démence. Ils semblent déterminés à effacer toute trace de son passage. Ils n'ont pas hésité pour cela à envoyer à ses trousses un véritable tueur doublé d'un pyromane !

Comment un homme aussi séduisant que Cyril peut-il faire preuve d'autant de cruauté ? L'implacable froideur de l'assassin ne devrait jamais se parer des atours de la beauté. Cela semble contre-nature. Un visage parfait ne saurait celer un esprit malade.

Un monstre qui s'avance masqué, voilà à quoi Cyril lui fait penser. Nulle expression n'a animé ses traits réguliers au moment de déclencher l'incendie du squat. Tout entier concentré sur les gestes à accomplir, il n'a manifesté aucune émotion en disposant le corps de Marco près du foyer de la vieille cheminée, puis en l'arrosant d'alcool. Toujours impassible, il a chargé Lydia sur son épaule aussi aisément qu'un sac de plumes avant de craquer une allumette...

La suite se confond dans un déferlement de flammes et de chaleur.

Et puis la fuite, à un train d'enfer...

Cyril reste calé en continu sur la file de gauche, le pied au plancher, l'aiguille du compteur frôlant les deux cents kilomètres à l'heure. En plus d'un redoutable tueur, il s'avère un excellent conducteur. Les flashs des radars automatiques l'indiffèrent totalement. Le pare-brise noirci protège son anonymat. Sans doute les plaques minéralogiques ne correspondent-elles à aucun véhicule enregistré dans les bases de données policières.

Au premier franchissement de péage, Lydia a escompté l'intervention des gendarmes cantonnés à proximité. Mais il lui a fallu déchanter en voyant le chauffeur brandir par sa vitre entrouverte une vignette tricolore, d'aspect officiel, quand un motard s'est approché. Le militaire a même salué quand Cyril a redémarré en trombe !

Quels que soient les ennemis de Lydia, ils disposent de moyens conséquents et ne craignent pas les autorités. Pourquoi s'intéressent-ils à elle au point de déployer tant de forces ? Qui peut-elle bien être pour susciter un pareil acharnement ? Et surtout, comment échapper à une telle organisation ?

Il faudrait un miracle...

Le trille électronique d'un téléphone portable résonne soudain dans l'habitacle. Le conducteur décroche sans ralentir et branche le haut-parleur de son kit mains libres.

– *Allô, Cyril ? Tout se déroule-t-il comme prévu ?*

Cette voix à la fois rauque et sensuelle ! Lydia a l'impression de la reconnaître. Elle appartient selon toute vraisemblance à une femme de caractère, habituée à poser des questions dans l'attente de réponses aussi promptes que précises.

– Oui, madame. Je n'ai rencontré aucun problème particulier...

Pas la moindre allusion au sort du pauvre Marco !

– ... pour récupérer le colis. Il est avec moi. Nous arrivons bientôt à la frontière. Nous atteindrons l'objectif dans moins d'une heure.

– Bien. Il y a un léger changement au programme. Vous ferez un détour par l'héliport pour réceptionner un deuxième colis, un peu plus encombrant celui-là. La suite du programme ne change pas d'un iota. J'ai été claire ?

– Affirmatif, madame. Je vous rappelle après exécution de la mission.

Fin de la conversation.

Lydia comprend qu'il n'y aura pas de miracle.

Une silhouette se profile à travers la brume colorée qui brouille sa vision.

Marco éprouve de grandes difficultés à garder les yeux ouverts.

C'est toujours pareil quand il est défoncé !

À quelques détails près, cette fois, cependant.

D'abord, cette odeur de brûlé, agressive, persistante...

Ensuite, la douleur lancinante à la base de la nuque...

Enfin, la sueur dans laquelle il baigne – il a dû transpirer comme un porc !

Les contours de la silhouette s'affinent peu à peu. Marco a tout même du mal à accommoder.

– Est-ce que tu m'entends ?

Marco acquiesce d'un signe, incapable de parler, la bouche trop sèche.

– Sans mauvais jeu de mots, tu as eu chaud aux fesses ! Si j'étais arrivé dix secondes plus tard, tu serais réduit en cendres à l'heure qu'il est.

Ah bon ? Première nouvelle... Mais puisque tu le dis, mon pote, je veux bien te croire ! Et si tu t'approchais un peu, que je voie à quoi tu ressembles ?

– J'ai l'impression que tu planes encore. Tu as les yeux tout rouges et les pupilles complètement dilatées. Est-ce qu'au moins tu arrives à distinguer le monde réel ?

Un visage en gros plan remplace la silhouette. Marco reconnaît alors son sauveur. Par un incroyable coup de bol, il s'agit d'un de ses héros !

Putain, mec, c'est trop dingue, j'ai vu tous tes films...

Fournissant un terrible effort, Marco parvient à transformer la pâte grumeleuse qui lui emplit la bouche en mots à peu près audibles :

– Salut, Jet Li !

Conversation téléphonique cryptée
entre le lieutenant Saulnier – Direction Générale
de la Sécurité Extérieure (France) – et le capitaine
Shan – ministère de la Sécurité de l'État (Chine),
en charge des opérations à l'étranger.

Lt. S. (*voix à peine audible*) : Difficile de parler plus fort, il y a du monde dans la pièce voisine. Comment s'est déroulée l'opération ?

Cap. Sh. : J'ai dû intervenir pour éviter une nouvelle victime. Elle est hors de danger. Je ne suis même pas sûr qu'elle ait compris ce qui s'est passé !

Lt. S. : Bon. Et en ce qui concerne le tueur ?

Cap. Sh. : Aucun souci. J'ai fixé un transpondeur sous le châssis de sa voiture. Je n'ai plus qu'à la pister en restant à bonne distance. Notre ami pyromane va me conduire tout droit à la maternité. Depuis le temps qu'on cherche à la localiser !

Lt. S. : Attention si vous franchissez la frontière. Nous n'avons pas autorité pour agir sur le territoire de la Confédération helvétique.

188

Cap. Sh. : Je connais le détail de nos accords de coopération, lieutenant. Ne vous inquiétez pas pour moi. J'ai l'habitude d'opérer en solo. De votre côté, ne prenez pas de risques inutiles. Sortez du guêpier avant que la reine s'affole…

Lt. S. : Je dois veiller sur les civils. Après l'incendie malheureux de Berne, nous ne pouvons pas nous permettre de nouveaux dégâts collatéraux.

Cap. Sh. : Faites très attention à vous, lieutenant. J'ai envie de vous revoir en un seul morceau !

Lt. S. : J'apprécie le conseil… Ah, je dois raccrocher, j'ai l'impression que ça s'agite à côté. Terminé.

Cap. Sh. : Terminé.

3

Attablés à l'écart des autres pique-niqueurs de l'aire d'autoroute, Peter et Betty dévorent la portion de frites et les burgers achetés au snack un peu plus tôt. Sous l'effet du stress ou de la colère, leur appétit prend des proportions gargantuesques.

Une fois rassasiés, ils décident enfin d'évoquer leur situation.

– Qu'est-ce qu'on est censés faire, maintenant? lance Betty. Inutile de contacter les flics, ils ne nous croiraient jamais. En plus, ils ressortiraient nos casiers à tous les coups!

– Il faut qu'on se tire de ce merdier par nos propres moyens. Il y a peut-être une solution...

– Laquelle?

– Tu as bien enregistré ta conversation de ce matin avec Lydia sur ta tablette?

– Oui, j'ai près d'une heure de vidéo.

– Surtout, ne l'efface pas ! C'est la preuve qu'on n'a pas inventé tout ce délire, que l'autre Lydia existe bel et bien. Avec un peu de bol, la blogueuse que tu as contactée en aura tiré quelque chose.

– Marjorie, précise Betty. Si tu as raison, alors on disposera d'éléments concrets et on sera pris au sérieux. On aura plus de chances de sauver notre peau et de venger la mort de Marco...

Betty laisse passer un silence avant d'ajouter :

– Tu penses qu'on s'en sortira, hein ?

– Les gens qui courent après Lydia sont dangereux, ils ne renonceront pas facilement. Je n'ai pas envie d'attendre planqué dans un coin en me demandant quand ils vont frapper. Je préfère les devancer. À mon avis, la meilleure façon de les neutraliser c'est d'attirer l'attention sur eux. De prouver leur existence au public. Pour ça, il faut rassembler un max d'infos. Ce ne sera pas une partie de plaisir. J'ai besoin que tu me fasses confiance, bébé.

La main de Betty se glisse par-dessus la table vers celle de son compagnon. Leurs doigts maculés de graisse s'entrecroisent et ils échangent un long regard brillant de détermination.

– Je t'ai toujours suivi dans tes galères, rappelle la punkette. Ensemble, on peut tout affronter !

Le sourire de Peter anime les pointes d'argent qui perforent ses lèvres.

– Tout ira bien, promis, dit-il. Pour commencer, renvoie un mail à Marjorie pour savoir où elle en est. Fais-lui comprendre que ça urge de notre côté, sans rien lui dévoiler de compromettant.

– C'est parti ! s'exclame Betty en dégageant sa tablette du sac qu'elle porte en bandoulière, ultime relique d'une vie partie en fumée dans l'incendie du squat.

Tandis qu'elle pianote sur l'écran tactile, Peter ne la quitte pas des yeux. Eux deux, songe-t-il, c'est du solide. Bien plus qu'il n'aurait pu l'espérer à l'époque où il zonait en solitaire d'un camp de nomades à l'autre, avant de se lancer dans les « affaires » – organisateur de free parties pour le versant fun, aide au franchissement des frontières pour le versant utile et solidaire. Loin d'être un vulgaire passeur de clandestins motivé par l'appât du gain, comme le lui a reproché Lydia, Peter assiste gratuitement les irréguliers traqués par les polices d'Europe. Le fric entre d'une autre façon, grâce au trafic de shit et de cigarettes élaboré par Marco.

Une source tarie avec la mort de ce dernier. Parce que, dans ce genre de business, tout repose sur la confiance accordée à un individu et à lui seul. On ne signe pas de contrat, on se contente d'une poignée de main. La parole donnée vaut de l'or, et même davantage. Vu sous cet angle, le commerce illicite est une activité fondamentalement honnête !

– J'ai déjà une réponse, avertit Betty. Marjorie a été impressionnée par notre vidéo. Elle voudrait rencontrer notre Lydia. Mais c'est trop tard !

– Attends un peu. Ne lui dis pas ce qui s'est passé ce matin, inutile de l'effrayer. Proposons-lui un rendez-vous dans un endroit assez fréquenté et avec de nombreuses sorties, juste au cas où…

– D'accord. Lequel ?

193

Le sourire de Peter s'élargit davantage.

– Là où on a fait connaissance, toi et moi, bébé. Tu te souviens ?

– Il y a un problème, Max ? demande Jenny en pénétrant dans le salon. Quelque chose ne va pas avec Lydia ?

Le manager de la jeune star secoue vigoureusement la tête, s'efforçant de paraître détendu malgré le tic nerveux qui fait pulser sa joue comme la peau d'un tambour.

– Tout va bien, ment-il sans grande conviction.

– Qu'est-ce que c'est que ça ? insiste Jenny en désignant la seringue à moitié pleine d'un liquide trouble entre les mains gantées de caoutchouc de Max. Lydia a eu une nouvelle crise ?

– Ce n'est pas ton problème, rétorque-t-il. Occupe-toi de ses engagements avec la presse. Décale ceux de cette après-midi de deux ou trois heures...

– Je veux parler à Lydia.

La joue de Max tressaute à présent de manière convulsive. Il explose soudain :

– Arrête de m'emmerder ! Tu tiens à garder ton job ou pas ? Un simple coup de fil à Angela et tu te retrouves tricarde dans le business jusqu'à la fin de tes jours, compris ?

Jenny ne l'a jamais vu perdre ainsi le contrôle de lui-même. D'instinct, elle recule au cas où il s'en prendrait à elle.

– Ne fais pas ça, je t'en prie, implore-t-elle. Je m'inquiète pour la santé de Lydia, c'est tout... Si tu me dis que tout va bien, je te crois, Max.

Ses talents de comédienne semblent avoir convaincu son interlocuteur.

– Excuse-moi pour cet éclat. Je suis un peu à cran depuis samedi dernier. Angela me met la pression, tu sais comment elle est...

Le sourire se veut complice. L'attachée de presse n'est pourtant pas convaincue à cent pour cent de son authenticité.

Elle décide de continuer à jouer le jeu en se tenant sur ses gardes.

– Oui, je comprends ! Bien, puisque tout est en ordre, je vais appeler les journalistes pour leur demander de revenir plus tard...

Elle s'apprête à faire demi-tour pour regagner sa chambre quand elle perçoit un mouvement du coin de l'œil. Avec une étonnante vivacité, Max s'est jeté sur elle.

Son poing se referme autour de son poignet et il l'attire brusquement contre lui.

– Minute ! Je trouve que tu cèdes bien facilement. Tu m'as habitué à plus de résistance depuis qu'on bosse ensemble...

Jenny réagit au quart de tour. Du tranchant de sa main libre, elle frappe Max au niveau de la pomme d'Adam. Il la lâche aussitôt et se met à suffoquer, plié en deux. Toutefois, il a eu le temps de planter l'aiguille de sa seringue dans la cuisse de la jeune femme.

Un froid glacial se répand dans les membres de Jenny. Peu à peu, ses muscles se figent. Elle tente de résister, d'atteindre son sac et le portable à l'intérieur, mais elle vacille et s'effondre sur la moquette.

L'un après l'autre, ses sens l'abandonnent. Sa vue se brouille, elle a l'impression de tâtonner dans le vide, elle ne ressent plus rien et perd toute notion de l'espace autour d'elle.

Un corps se presse soudain contre le sien. Jenny frémit. Une voix rauque, lointaine, lui murmure dans le creux de l'oreille des paroles inaudibles…

Puis c'est la chute dans l'abîme.

4

Quelques kilomètres avant la Suisse, le capitaine Shan stoppe le 4x4 sur le bas-côté de la route et entreprend l'examen minutieux de la carte étalée sur ses genoux. De temps en temps, il jette un coup d'œil sur l'écran de son GPS. Près du bord supérieur, le point rouge symbolisant sa cible progresse toujours à vive allure, mais de l'autre côté de la frontière. S'il ne trouve pas rapidement un moyen de la franchir à son tour, Shan risque de perdre le signal avec le transpondeur et de compromettre une mission de longue haleine, débutée trois ans plus tôt.

Or il n'a pas le droit d'échouer. Il doit absolument découvrir où se cache la « maternité », nom de code attribué à l'un des laboratoires du groupe BEST par les services secrets de son gouvernement et ceux de la France, dans le cadre d'une coopération exceptionnelle...

– Yo, Jet Li ! Tu veux passer la frontière en douce ?

Shan sursaute, furieux de s'être laissé surprendre par un Marco dont la trogne chiffonnée s'encadre dans le rétroviseur. Il pensait le garçon trop défoncé pour émerger si vite, mais le teufer dispose apparemment d'incroyables facultés de récupération – question d'entraînement, sans doute !

– On ne peut rien te cacher, ironise Shan. Je préfère éviter la douane.

– Rien de plus simple... Je connais tous les chemins de forêt où les gabelous ne vont jamais !

– Les gabelous ?

– Un vieux mot pour désigner les douaniers, parce qu'ils prélevaient à l'époque un impôt appelé gabelle...

– OK, je te crois. Pas le temps pour une leçon d'histoire. Tu vois ce point rouge sur le GPS ? Il ne faut pas le quitter des yeux. On a moins de cinq minutes pour traverser.

– Alors j'espère que tu sais piloter, camarade ! rétorque Marco en se faufilant sur le siège passager avant de boucler sa ceinture. Parce que ça va virer sport... Coupe à travers ce champ, sur la droite, et mets la gomme !

La succession de virages en épingle à cheveu évoque un vague souvenir à Lydia, guère plus consistant toutefois qu'une impression de déjà-vu – autant dire un fantôme pour sa mémoire.

Quand la voiture débouche sur un pré aménagé en héliport de fortune, une certitude s'impose : elle est venue ici, par le passé. Mais dans quelles circonstances ?

Inutile de compter sur Cyril pour les lui rappeler. Le tueur n'a plus décroché un mot depuis le franchissement de la frontière, une vingtaine de minutes plus tôt. Et le message qu'il lui a envoyé n'invitait pas au dialogue : « *En cas de pépin, tu seras la première victime. Alors, tiens-toi tranquille !* »

Les douaniers n'ont pas fait plus d'histoires que les flics de l'autoroute. Les documents brandis en guise de passeport ont encore servi de sésame.

Ils n'attendent pas plus de cinq minutes avant de voir grossir un point à l'horizon, sur la ligne de crête des plus basses montagnes environnantes. Puis le vrombissement d'un rotor rompt le silence presque parfait de ce coin paumé au pied des alpages. Bientôt, un hélicoptère noir, sans aucune marque distinctive, se pose à une centaine de mètres de la voiture.

Un passager plutôt corpulent s'extirpe de la carlingue, une sacoche à la main. Courbé en deux, il s'engage dans les hautes herbes agitées par la rotation des pales. L'hélicoptère redécolle avant qu'il ait parcouru une dizaine de pas. Le type se redresse et Lydia parvient à distinguer une barbe blonde et de petites lunettes dont les verres reflètent les rayons du soleil.

Un serpent d'angoisse déroule de longs anneaux glacés dans son ventre.

L'homme qui s'avance est responsable de son état. Il lui a pris sa vie, son identité. Il a injecté toutes sortes d'images confuses dans son esprit, mêlant fantasmes et réalité...

Et maintenant ? Que va-t-il lui faire subir ?

Cyril déverrouille la portière pour le laisser monter. L'homme grimace quand il découvre le conducteur et, surtout, le pistolet apparu dans sa main.

– Bonjour, docteur, dit Cyril. Asseyez-vous sans discuter. Je n'aimerais pas être obligé de salir mes sièges. Vous ne pouvez pas savoir à quel point j'adore cette bagnole !

Beller s'exécute après un bref coup d'œil sur la banquette arrière. Soutenir le regard de Lydia semble au-dessus de ses forces, il détourne aussitôt la tête, l'air honteux.

Mais Lydia s'en moque. Les souvenirs commencent à affluer, comme si la présence du docteur avait rompu le barrage érigé dans son esprit.

Une chambre blanche, dépouillée. Une salle de bain sans miroir. Une porte sans poignée. Une infirmière aux traits modifiés par chirurgie plastique...

Et avant cela, un trajet en voiture sur cette même route de montagne, un vol en hélicoptère...

Avant cela encore, des conversations dans une chambre d'hôtel, ou plutôt non, le salon d'une suite...

Un homme entre deux âges, une femme blonde, une voix autoritaire au téléphone – peut-être celle de la femme qui a appelé Cyril dans la journée...

Tout se mélange à nouveau. Un rideau noir retombe sur les pensées de Lydia à mesure qu'elle se rapproche de la vérité.

– Ouah! Trop dément! T'assures comme une bête, Jet Li!

Le capitaine Shan lève brièvement les yeux au ciel avant de les reporter sur la piste de terre battue zigzaguant en pleine forêt. S'il n'avait pas besoin de demeurer concentré sur la conduite acrobatique du 4x4, il prendrait le temps d'expliquer à son exaspérant copilote qu'il ne se sent rien de commun avec l'acteur champion d'arts martiaux, et que persister à les confondre confine au racisme ordinaire des Occidentaux vis-à-vis des Asiatiques. Mais il doute que le garçon au cerveau embrumé se montre réceptif. C'est déjà un miracle qu'il puisse lui indiquer un itinéraire pour pénétrer en Suisse sans se faire remarquer…

– À droite à la fourche!

Shan modifie in extremis la trajectoire. Le tout-terrain dérape sur un tapis de feuilles sèches, se replace dans le bon axe et repart à fond de train.

– Bienvenue chez les Helvètes! lance un Marco hilare.

– On a passé la frontière?

– Comme je te le dis, Jet Li!

N'empêche, songe Shan, une *sérieuse* mise au point s'imposera le moment venu…

– Fais gaffe, on va pas tarder à rejoindre la route.

Effectivement, quelques secondes plus tard, au détour d'un ultime virage, le sentier forestier débouche sur l'asphalte.

Shan négocie la transition en pilote confirmé – deux changements de vitesse et un contre-braquage au millimètre – et le 4x4 poursuit sa folle équipée.

Sur l'écran du GPS, le point rouge n'est plus distant que de quelques kilomètres. La cible attaque à présent une zone au fort dénivelé, traversée par une unique voie de communication tout en courbes et lacets.

L'excitation du capitaine atteint son apogée. Il n'a jamais été si près de la « maternité ». Toutefois le tueur conserve une avance non négligeable. Alors Shan accélère encore.

***Conversation téléphonique cryptée
entre Max et Angela Fauster.***

A. F. (*voix agacée*) : Max ? Je vous avais demandé de
ne pas utiliser ce numéro...
M. : Sauf en cas d'urgence ! Et c'en est une de taille,
croyez-moi !
A. F. : Que se passe-t-il ?
M. : La nouvelle Lydia... Elle ne fonctionne plus !
A. F. : Ça n'a aucun sens ! Ce n'est pas un robot que
l'on peut désactiver à sa guise.
M : Je sais, mais c'est tout comme ! L'interview avec
la présidente du fan-club s'est parfaitement déroulée,
puis, après le déjeuner, Lydia a eu un coup de fatigue.
Je l'ai accompagnée dans sa chambre pour l'aider à
s'allonger. Elle est presque aussitôt tombée dans les
vapes. J'ai eu beau la secouer, la gifler, rien à faire.
Même les piqûres de sérum M. n'ont aucun effet. On
dirait qu'elle est plongée dans le coma...
A. F. (*avec rage*) : Beller ! Sûrement un coup de notre
cher docteur. Je crois que je l'ai sous-estimé.
M. : Comment ça ?

A. F. : Il aura senti le vent tourner et se sera arrangé pour nous livrer un deuxième sujet doté d'une sécurité.

M. : Vous croyez qu'il contrôle son inconscient ? Avec un de ses trucs d'hypnose ?

A. F. : J'aurais dû m'en douter. Il faut que j'arrête Cyril avant qu'il soit trop tard.

M. : Trop tard pour quoi ? Angela, j'ai l'impression que la situation échappe à tout contrôle. J'ai été contraint de neutraliser Jenny qui commençait à se montrer trop curieuse...

A. F. (*avec irritation*) : Faites ce que vous avez à faire, Max. Je compte sur vous pour ne pas flancher. De mon côté, je m'arrange pour savoir ce que Beller a concocté et comment réveiller notre Belle au bois dormant.

5

– Vous vous apprêtez à commettre une grave erreur, prévient le docteur Beller au moment où la voiture s'immobilise devant les grilles d'un domaine perdu au beau milieu de la forêt.

Le teint livide, le front en sueur, il s'efforce de défier le tueur impassible qui le tient sous la menace de son pistolet.

– Ce ne serait pas la première, réplique calmement Cyril. Vous m'avez même rectifié le portrait il y a quelques années après que j'ai déconné dans cette histoire de pensionnat...

Il marque une pause, l'air nostalgique – la beauté du diable évoquant son pire forfait – puis reprend :

– J'ai failli me faire pincer par Interpol[1] sur ce coup-là. Heureusement, mon profil intéressait les gens de BEST. Le groupe m'a tiré d'affaire et

---

1. International Police ou Organisation Internationale de Police Criminelle, dont le siège est situé à Lyon, en France.

recruté. Rien de plus facile pour lui. Il m'a offert une nouvelle gueule et une nouvelle identité. Une sacrée chance !

Écœurée, Lydia écoute Cyril en se demandant quel rôle elle joue dans cette macabre tragédie. Les dernières pièces du puzzle semblent sur le point de s'ajuster. BEST, par exemple. Elle connaît le nom de ce consortium, il doit avoir un rôle central...

– Je vous assure qu'il n'est pas dans l'intérêt du groupe de m'écarter, plaide Beller.

Cyril pousse un soupir exagéré. Sa main armée fuse en direction de la bouche du docteur. Le canon du pistolet lui fend la lèvre inférieure. La tête de Beller effectue un violent aller-retour à la manière d'un punching-ball. Un filet de sang dégouline sur son menton, souillant les poils de la barbe.

– Maintenant, tu la boucles, ordonne Cyril. Je vous indique la suite des événements, ajoute-t-il en se tournant vers Lydia. Je vais ôter tes liens. On va sagement entrer dans la clinique et descendre jusqu'au labo, tous les trois. Si l'un de vous tente de lancer l'alerte, je jure que je l'abats sur-le-champ. Est-ce que je me suis fait comprendre ?

Beller opine, résigné. Lydia l'imite, persuadée que Cyril n'hésitera pas à mettre sa menace à exécution.

– Bien. C'est un plaisir de travailler avec des partenaires si compréhensifs. Allez, tout le monde dehors !

Le doigt suspendu devant le clavier du digicode, Beller hésite, transpirant d'abondance dans son coûteux costume froissé.

– Un petit effort, doc, le presse Cyril. Ne m'obligez pas à vous rafraîchir la mémoire à ma façon.

Pour illustrer ses propos, il sort un briquet du fond d'une poche et s'amuse à promener la flamme sous le nez du docteur.

– Encore que rafraîchir ne soit pas le terme le plus approprié! fait-il remarquer avec un clin d'œil.

– Obéissez, ça vaut mieux, conseille Lydia.

L'incendie du squat gronde encore sous son crâne…

– La gosse est plus maligne que son père, ricane Cyril.

Mon père ? s'étonne Lydia. Le docteur Beller ? Ça n'a aucun sens ! Cyril est dingue, il raconte n'importe quoi… Pourquoi Beller ne dément-il pas ? La peur le rendrait-elle muet ? Ou alors…

Les épaules du docteur s'affaissent tandis que, vaincu, il pianote sur les touches du clavier numérique.

Un ronronnement électrique s'élève de l'imposant panneau métallique, semblable à une porte de coffre-fort, qui barre l'accès au sous-sol de la clinique.

Le sas s'entrouvre avec un chuintement. Une faible clarté bleutée filtre de l'autre côté, en même temps qu'une odeur entêtante de produits pharmaceutiques.

Avant d'entrer, le docteur dévisage Lydia et lâche dans un murmure :

– Je regrette que ça se termine ainsi.

Cyril le pousse en avant d'une bourrade dans le dos.

– Si on faisait toujours ce qu'on veut dans la vie, philosophe-t-il, je ne serais pas ici à nettoyer les bourdes de cette chère Angela, je prendrais du bon temps quelque part en Europe de l'Est avec deux ou trois filles dociles et une boîte d'allumettes.

Un frisson parcourt l'échine de Lydia quand elle décrypte le rictus de joie perverse qui illumine le faciès du tueur.

Toutefois, l'instant suivant, elle oublie son appréhension en découvrant l'aménagement du laboratoire souterrain.

La table d'opération dominée par le cercle froid du système d'éclairage...

Les écrans d'ordinateur disposés en demi-lune tout autour, reliés par des câbles qui serpentent au plafond...

Et surtout les grands cylindres transparents emplis d'un liquide trouble, alignés dans le fond de la pièce.

Les deux premiers sont vides.

Pas les suivants.

À l'intérieur flottent des pantins de chair, identiques et asexués, d'une pâleur telle qu'on distingue le réseau des veines et des artères sous la mince couche de peau blanche.

Les visages sans expression ressemblent aux masques neutres des mimes. Le crâne est parfaitement lisse, comme le reste du corps, dénué de la moindre pilosité. Sous les paupières closes, on perçoit la légère oscillation des globes oculaires soumis à des mouvements aléatoires.

Ils rêvent, comprend Lydia, *ils sont endormis dans leur cage translucide et ils rêvent!*

Beller s'approche du premier cylindre, Cyril sur les talons.

– Le premier sujet s'est développé ici il y a un peu plus de quinze ans, dit-il. Il a grandi à l'abri de sa cuve matricielle en toute sécurité, jusqu'à ce qu'on lui attribue un sexe et un nom…

Il n'achève pas sa phrase, laissant ce soin à la jeune fille :

– Lydia, devine-t-elle, effondrée.

Ce n'est pas possible! Je ne suis pas venue au monde dans ce labo! Le docteur essaie de gagner du temps, de détourner l'attention du tueur, ça ne peut pas être la vérité! Je ne suis pas comme ces choses! Je suis une vraie personne! J'ai des sentiments, j'éprouve des émotions, je suis vivante!

Je suis vivante!

Je suis…

La sonnerie d'un portable interrompt le cours des pensées de Lydia. Cyril déplie son appareil sans quitter ses prisonniers du regard.

– Allô? Oui madame?… Quoi? Vous êtes sûre?

La déception se lit brièvement sur les traits embellis par la chirurgie du psychopathe. Elle est très vite remplacée par une éruption de bonheur, proche de l'extase.

– Soyez tranquille, il crachera bientôt tout ce qu'il sait !

Puis, s'adressant à Beller :

– Tss tss, petit cachottier... Dans cinq minutes, tu regretteras qu'on m'ait empêché de te liquider proprement !

6

Ce n'est pas le moment de craquer, se répète Max en fixant le visage hagard de l'homme aux joues creuses et aux rides en étoile autour des yeux qui le contemple dans le cadre doré du miroir. *Tu as tenu bon jusque-là, tu as encaissé les caprices et les humiliations, tu as protégé le secret du groupe et tu y as gagné une position plutôt enviée dans le show-biz, de quoi remplir un compte en banque à l'abri d'un paradis fiscal...*

L'homme dans le miroir lui adresse une moue méprisante. Apparemment, ce bilan ne le convainc pas.

Quoi ? l'interpelle Max. *Qu'est-ce qui t'empêche de continuer à servir le groupe sans te poser de questions ? Ne me dis pas que tu éprouves du remords ? De la culpabilité pour la façon dont « ils » ont évacué Lydia ?*

Son reflet donne l'impression d'acquiescer. Max se détourne violemment du miroir.

Il se rappelle sa honte quand il a fallu abandonner la première Lydia aux « bons soins » de son créateur...

Un sentiment contre lequel il se pensait immunisé après ces nombreuses années à naviguer en eaux troubles pour le compte de BEST. Mais l'improbable a fini par se produire. Max s'est attaché à la gamine, beaucoup plus qu'il ne l'aurait imaginé lorsqu'on l'a recruté pour jouer les managers et assurer le suivi médical de sa protégée. Il s'était cru cynique, détaché, revenu de tout, et voilà qu'il se découvre une conscience !

Sur le chemin du retour de la clinique, trois semaines plus tôt, Max a beaucoup réfléchi. Résultat de ses cogitations : un profond dégoût de lui-même et de ses agissements. Toutefois la remise en cause s'arrête là. Max n'a pas posé sa démission.

Pour une raison très simple. On ne quitte pas le groupe une fois arrivé au niveau de responsabilités qui est le sien.

Ou alors, définitivement.

Ce qui le ramène à son dilemme actuel : le sort de cette idiote de Jenny.

Pourquoi a-t-il fallu qu'elle se montre aussi curieuse ? Il avait réussi à la tenir à l'écart du côté obscur de la carrière de Lydia depuis qu'il l'avait engagée pour gérer ses relations avec la presse, impressionné par son CV et les excellentes recommandations de ses anciens employeurs...

En y repensant à la lumière des derniers événements, Max se rend compte que le profil professionnel de Jenny était trop parfait pour ne pas avoir été arrangé. Peut-être sombre-t-il dans la parano ; peut-être pas.

Ça ne coûte rien de vérifier, en tout cas. Une fouille en règle des affaires de l'attachée de presse s'impose.

Max pénètre dans la chambre où la jeune femme repose toujours en travers du lit, telle qu'il l'y a abandonnée un peu plus tôt. Elle semble assoupie – plus exactement en état de « transe mémorielle favorable », pour reprendre l'expression de Beller, sous l'effet de l'injection de sérum M.

Max lui a administré à peine un quart de la dose prescrite habituellement à Lydia, pourtant celle-ci s'avère d'une efficacité redoutable sur l'organisme de cette pauvre Jenny !

Et même *trop* efficace...

Soudain, Max prend peur. Et si le cœur de Jenny n'avait pas résisté ? Après tout, il ignore les contre-indications du sérum. Il sait juste que le produit permet de provoquer un coma proche du sommeil, durant lequel rêves et réalité se confondent. L'esprit se révèle alors très réceptif aux influences sonores et visuelles. Il suffit d'entrouvrir les paupières du patient, de lui montrer et de lui faire entendre ce qu'on veut qu'il croie, et le tour est joué. Au réveil, il aura assimilé ces nouveaux souvenirs et oublié le reste. Mais jusqu'à présent, l'expérience n'a été tentée que sur des sujets neutres, à l'esprit vierge, comme Lydia, jamais sur de véritables individus dotés d'une histoire personnelle...

Inquiet, Max secoue l'épaule de Jenny et appelle :

– Est-ce que tu m'entends ? Réveille-toi, je t'en prie ! Allons, debout !

Comme la jeune femme demeure sans réaction, il se penche encore plus près, pour s'efforcer de la ranimer en pratiquant un massage cardiaque...

Une violente douleur le terrasse d'un coup, lui bloquant la respiration. Max bascule sur le côté du lit, paralysé.

Jenny retire les deux doigts enfoncés sous le plexus solaire, au contact d'une terminaison nerveuse particulièrement sensible. Elle n'avait jamais eu l'occasion de tester cette prise en dehors de la salle d'entraînement et se félicite de la qualité de son instructeur.

Tandis que Max récupère peu à peu, bavant et haletant, elle s'assure qu'il ne porte aucune arme, puis récupère la sienne dans le double fond de son sac à main.

Elle avale également un comprimé d'aspirine pour atténuer la migraine qui fait pulser une partie de son cerveau depuis qu'elle a repris connaissance, quelques minutes plus tôt.

– Qu'est-ce... Qu'est-ce qui se passe, Jenny ? balbutie Max en essayant tant bien que mal de s'asseoir au bord du lit.

– Lieutenant Jennifer Saulnier, le reprend la jeune femme. DGSE[1]... Mon Dieu, quel air ahuri, mon pauvre Max ! Je conçois que tu ne t'attendais pas à ça de la part de cette nunuche de Jenny, une simple attachée de presse, mais tu vas finir par me vexer !

– Alors tu es une espionne ?

L'expression un brin désuète arrache un sourire à Jenny.

1. Direction Générale de la Sécurité Extérieure.

– Disons que mon boulot consiste à récolter des renseignements sous couvert de missions d'infiltration. Comme le tien consiste à protéger les secrets inavouables de BEST. Enfin, ils ne le resteront plus très longtemps...

Max secoue lentement la tête de droite à gauche.

– Tu n'as pas la moindre idée de l'influence réelle du groupe... De son pouvoir sur les États et leurs gouvernements... Je ne suis qu'un pion sans importance dans l'organigramme. Pas sûr qu'ils me laissent vivre assez longtemps pour témoigner...

– Ça, c'est mon affaire. Je vais te sortir de là sans encombre. Et tu n'es pas le seul qui m'intéresse. Je vise un peu plus haut, sans vouloir t'offenser !

– Angela ?

Jenny opine. Sa migraine reflue peu à peu. Elle se sent à présent d'attaque pour la suite des opérations.

– On cherche à la coincer depuis un moment, mais elle s'est toujours débrouillée pour éviter de fouler le sol national. Cette fois, elle ne nous échappera pas. J'ai fait bloquer son jet par la police de l'aéroport. Je n'ai plus qu'à lui communiquer son signalement et une équipe d'intervention se chargera de l'appréhender.

Elle s'empare de son portable et compose un numéro codé pour entrer en relation avec le responsable de l'équipe en planque à l'aéroport, puis s'adresse de nouveau à Max pendant que la liaison s'opère via un satellite contrôlé par le ministère de la Défense :

– Il nous manque juste un dernier détail, c'est là que tu vas nous être utile : on ignore à quoi ressemble Angela Fauster...

215

Le rire de Max jaillit et rebondit en écho contre les murs de la chambre.

– Qu'y a-t-il de si drôle ?

Entre deux quintes, Max parvient à répliquer :

– Moi non plus, je ne sais pas ! On a toujours travaillé par téléphone. Je n'ai jamais vu son visage !

Échange d'e-mails entre Marjorie et Betty.

Boîte mail de Marjorie.
Message reçu aujourd'hui à 16 h 22.

> Merci pour ta proposition ! Rendez-vous ce soir
> à 20 heures à la sortie du métro gare du Nord,
> près des bornes de Vélib'. Surtout viens seule
> et ne dis à personne où tu vas, ni pourquoi.
> C'est vraiment super important. Tu pourras nous
> poser toutes les questions que tu veux. Mets ce
> message à la corbeille dès que tu l'auras lu et
> n'oublie pas de la vider !
> Betty

Boîte mail de Betty.
Réponse expédiée aujourd'hui à 16 h 29.

> Tu ne crois pas que tu en fais un peu trop ? Enfin,
> pas de souci, je détruirai ces mails comme tu me
> le demandes.

Tu peux avoir confiance en moi, je resterai muette comme une tombe !

À ce soir,

Marjorie, présidente-fondatrice de *Lydia Forever!*

Le plus ancien fan-club de Lydia.

ORIGINES

I

D'une poigne de fer, Cyril entraîne Lydia dans un coin de la salle aux cylindres. Malgré tous ses efforts, la résistance de la jeune fille demeure vaine.

– Arrête de gigoter ou je t'assomme, prévient le tueur. Ce serait dommage, tu raterais le spectacle !

Il tire d'une poche un cordon de plastique souple et s'en sert pour attacher les poignets de sa prisonnière à un poteau métallique, autour duquel s'enroulent des faisceaux de câble électrique.

– Là, tu es aux premières loges. Profites-en !

Puis il rejoint le centre du laboratoire, à présent éclairé par les puissants spots suspendus au-dessus d'un docteur Beller lui aussi entravé, allongé sur la table d'opération, torse nu.

Cyril prend le temps de retirer sa veste et de la déposer sur une desserte, à côté d'instruments de chirurgie dont l'alliage brillant accroche de fugaces lueurs.

Puis il remonte les manches de sa chemise en examinant scalpels, bistouris et écarteurs d'un air pensif.

– Je me demande par quoi commencer. Qu'est-ce qui est le mieux, à votre avis, doc ? Après tout, c'est vous le spécialiste !

Beller s'agite vainement, implore :

– Vous n'êtes pas obligé de faire ça...

– Vous vous trompez, doc. J'ai une dette à régler envers le groupe. Comme vous, d'ailleurs. Chacun la rembourse en fonction de ses talents. Vous, en reconstruisant des gueules et des passés. Moi, en me salissant les mains d'une autre façon... Ah, je crois que j'ai trouvé !

Il jette son dévolu sur une scie circulaire à la lame hérissée de minuscules dents chromées. Soupesant l'appareil pour assurer sa prise en main, il s'approche du flanc droit de la table.

Le petit moteur incorporé émet un miaulement aigu. La lame emballée à plusieurs milliers de tours par minute frôle l'index du docteur à hauteur de la première phalange.

– Cette main a fait des merveilles, commente Cyril. J'en suis la preuve.

D'un coup de menton, il désigne les cylindres – les cuves matricielles – et leurs étranges occupants.

– Elle a aussi créé ces monstres... Ça mérite une punition !

Et il tranche le doigt, selon lui coupable, sans la moindre hésitation.

Beller étouffe sans succès un hurlement. Le cri de Lydia lui répond en retour.

222

Ils sont couverts par l'écho d'une détonation qui résonne comme un coup de cymbale sous le plafond métallique du laboratoire.

Une petite fleur rouge éclôt sur l'épaule de Cyril. Il vacille, se ressaisit, contemple, effaré, la blessure, mais ne lâche pas pour autant la scie.

– Éloigne-toi de cette table ! ordonne celui qui a tiré depuis le sas d'entrée.

Encore sous le choc de la torture infligée au docteur, Lydia distingue mal le nouveau venu. Pourtant la grâce aérienne de ses mouvements ne lui paraît pas totalement étrangère.

D'origine asiatique, l'homme s'exprime dans un français sans accent.

– Est-ce que ça va ? lui demande-t-il en l'apercevant.

– Ou... Oui, répond Lydia. Il ne m'a pas touchée.

– Ce n'est que partie remise, fillette ! crache alors Cyril en prenant son élan.

La scie trace dans l'air une trajectoire à destination du tireur. Heureusement, celui-ci possède d'excellents réflexes. D'un pas sur le côté, il évite l'instrument qui se brise en heurtant le sol.

Cette diversion a permis à Cyril de franchir la moitié de la distance le séparant de la sortie. Lancé dans une course folle, il percute de plein fouet le garçon au blouson de motard roussi soudain apparu sur le seuil.

– Marco ! s'écrie Lydia, à la fois ravie de découvrir le teufer en vie et horrifiée en voyant Cyril l'agripper par le col et s'en servir de bouclier.

– Imbécile! peste l'Asiatique. Je t'avais demandé de rester dans la voiture!

– Pas question de te laisser tout le sale boulot, Jet Li...

D'un geste d'une surprenante vivacité, Marco plante son coude entre les côtes du tueur. Puis, dans le même élan, il le fait pivoter d'un quart de tour en lui assénant un coup de genou dans l'entrecuisse.

– Ça, c'est pour avoir tenté de me cramer, connard!

Tandis que Cyril se plie en deux, Marco complète sa foudroyante attaque d'une manchette à la nuque, poussant un cri de guerre avant de se dégager d'un brusque coup de reins.

– Et ça, c'est pour avoir voulu planter Betty et pour cette pauvre Isa... Je suis sûr que c'est toi qui as mis le feu chez elle, salaud! Tu ne t'attendais pas à celle-là, hein? J'ai douze ans d'aïkido derrière moi!

– Écarte-toi, ça suffit! ordonne l'Asiatique en pointant son revolver sur un Cyril désarçonné par la volte-face de son otage.

Marco obéit. Un coup de feu claque dans la seconde. La balle effleure la joue du tueur, creusant un sillon sanguinolent sur un côté de son visage trop parfait. Ce qui ne l'empêche pas de détaler en geignant de douleur. Comme Marco esquisse un pas vers la sortie, son compagnon l'en dissuade aussitôt :

– Laisse-le partir, il est encore très dangereux!

– C'est un peu con de pas le choper maintenant...

– Il n'ira pas loin dans son état. Et il y a plus urgent. Viens m'aider.

– À ton service, Jet Li!

En quelques gestes sûrs, ils confectionnent un pansement de fortune autour de la plaie du docteur Beller, sans pour autant le détacher. Puis l'Asiatique s'occupe de Lydia, tranchant ses liens grâce à un couteau à lame rétractable.

– J'ai l'impression qu'on s'est déjà rencontrés, lui avoue-t-elle, troublée par la proximité de ce corps athlétique.

– C'était dans une autre vie. Toi et moi n'étions pas ceux que nous sommes aujourd'hui.

Et il conclut par un clin d'œil.

– Ne bougez pas et surtout ne touchez à rien, recommande-t-il ensuite à l'intention des deux jeunes gens. J'ai des coups de fil à passer…

Il s'isole dans le sas pour téléphoner. C'est l'occasion ou jamais pour Lydia d'obtenir les réponses aux questions qui envahissent sa tête, tant que Beller est encore à sa disposition, incapable de fuir.

Jenny se sent aussi soulagée que frustrée après l'appel du capitaine Shan. La première Lydia est saine et sauve et la « maternité » a enfin été localisée. Ses coordonnées exactes, déterminées par GPS, ont été aussitôt transmises au siège de la DGSE. La suite n'est plus qu'affaire de tractations avec les autorités helvétiques pour autoriser l'intervention d'une équipe de démantèlement, qui se chargera d'effacer toutes les traces du projet Mimesis – mais pas de les détruire, évidemment.

Les travaux du docteur Beller intéressent au plus haut point le ministère de la Défense, pour lequel travaille la jeune femme. D'ailleurs, il n'est pas exclu que Beller se voie offrir un laboratoire rutilant en échange de sa collaboration et de son témoignage...

Malgré cette évidente réussite, Jenny n'est pas satisfaite. Sa mission consiste en effet à coincer Angela Fauster, le cerveau du projet Mimesis. Elle seule peut établir un lien concret avec BEST et compromettre le groupe, l'empêcher de nuire à nouveau. Or les informations en provenance de l'aéroport sont mauvaises : faute d'une description de leur cible, les agents dépêchés sur place n'ont pu intervenir.

Rien de plus rageant qu'un demi-échec au terme d'une mission d'infiltration de longue haleine ! À l'idée qu'Angela s'en tire aussi facilement, le lieutenant Jennifer Saulnier fulmine sous le regard compatissant de Max.

L'ex-manager de Lydia sursaute quand on frappe à la porte de la suite. Jenny lui fait signe de se taire et s'approche de l'entrée, son arme à bout de bras. D'un coup d'œil dans le judas, elle vérifie qu'il s'agit bien des visiteurs attendus avant d'ôter la chaîne de sécurité et de laisser entrer un couple avec un fauteuil roulant.

En quelques mots, Jenny distribue ses instructions aux agents en civil. Tandis qu'ils s'occupent de l'évacuation de la nouvelle Lydia, elle fait le guet au cas où les gorilles du groupe souhaiteraient intervenir. Mais le couloir est complètement désert. Les plantons en costume et lunettes noires qui montaient la garde près des ascenseurs se sont volatilisés. Bonne ou mauvaise nouvelle, Jenny ne sait qu'en penser. Autant profiter de l'occasion pour s'éclipser avec tout son petit monde…

– On y va, indique-t-elle en emboîtant le pas au faux couple et à leur fille impotente et inconsciente.

– Une minute. Et Marjorie ? rappelle Max.

– La blogueuse ? Mince, je l'avais oubliée ! Partez devant, ordonne-t-elle à ses collègues, je la récupère et je vous rejoins à la voiture…

Quand elle frappe à la porte de Marjorie, personne ne répond. Jenny essaie alors de l'appeler sur son portable et tombe sur la messagerie de l'adolescente.

Bon sang, il ne manquait plus que ça !

Elle dévale quatre à quatre les volées de marches tapissées d'une épaisse moquette jusqu'au rez-de-chaussée du palace et se rue sur le réceptionniste, campé derrière le haut comptoir en bois précieux.

– Est-ce que vous avez vu la cliente de la suite Deluxe ?

– La demoiselle est sortie il y a quelques minutes. Elle m'a demandé un plan du métro, sans préciser où elle souhaitait se rendre. Vous n'aurez qu'à interroger les messieurs qui la suivaient. Je crois qu'ils travaillent pour votre société, non ?

Pour sa première virée dans le métro parisien, Marjorie ne s'en tire pas si mal ! En fait, le plus diffi-cile aura été de s'esquiver du *Plaza Athénée* sans attirer l'attention. Son instinct d'apprentie reporter et de blogueuse confirmée lui souffle qu'elle n'aura pas à regretter l'aventure...

Après un changement à Strasbourg Saint-Denis, il ne lui faut pas plus de cinq minutes pour atteindre la station Gare du Nord. Elle arrive avec un bon quart d'heure d'avance sur les lieux du rendez-vous fixé par la mystérieuse Betty, au sommet de l'escalator qui débouche dans le hall de la plus fréquentée des gares européennes, particulièrement animée en ce début de soirée.

Marjorie parcourt la foule du regard, à la recherche de la jeune fille brune dont elle a visionné la vidéo plus tôt dans la journée. Elle ne l'aperçoit nulle part. Un peu saoulée par le charivari ambiant, elle se rapproche du kiosque à journaux, près de la haute façade de verre qui donne sur le parvis et les bornes de Vélib'.

Un zonard d'une vingtaine d'années, couvert de piercings, l'aborde la main tendue en avant.

– T'as pas une 'tite pièce ?

Elle secoue vivement la tête, mais l'autre insiste à voix basse :

– Suis-moi à quelques mètres de distance. On va causer dans un coin tranquille, Marjorie. Betty nous attend pas très loin.

– Comment m'avez-vous reconnue ?

Sans rien dire, le grand garçon gratte le milieu de sa propre joue, pour indiquer l'endroit de la cicatrice toujours visible sur celle de Marjorie.

– Oh, j'aurais dû m'en douter !

À demi rassurée seulement, elle emboîte le pas à l'inconnu, s'arrangeant pour lui laisser une dizaine de mètres d'avance. En cas d'entourloupe, elle pourra prendre ses jambes à son cou et appeler à l'aide. Et pour plus de précautions, elle note les noms des rues et des monuments alentour, afin de se repérer s'il lui faut fuir rapidement.

Une fois sortis de la gare, ils remontent la rue de Dunkerque puis le boulevard de Magenta, passent à hauteur de l'hôpital Lariboisière et arrivent aux limites du quartier Barbès. Là, une véritable cohue de badauds et de vendeurs à la sauvette encombrent le carrefour, sous la ligne aérienne du métro. Un vieux camion rafistolé de bric et de broc est garé entre deux camionnettes de livraison aux flancs entièrement tagués.

Le zonard frappe trois coups brefs à l'arrière et la porte s'entrouvre sur une tignasse éclatée rose fluo – sans doute la fameuse Betty.

L'autre Lydia doit patienter à l'intérieur. Marjorie grimpe les trois marches soudées au pare-chocs à la suite du garçon aux piercings.

Elle déchante en constatant que la punkette installée sur une caisse de bois, une tablette numérique sur les genoux, est seule.

– Pas de panique, tempère le garçon. Je suis Peter et voici Betty. Il fallait absolument qu'on te parle de vive voix. On a des trucs vraiment dingues à te raconter, qui feront l'effet d'une bombe une fois diffusés sur le Net...

229

C'est alors que le battant arrière s'ouvre à nouveau, en même temps que la portière côté passager à l'avant. Deux types en costume noir pénètrent dans le camion, chacun armé d'un petit revolver. Une blonde sculpturale, en tailleur très chic, grimpe à son tour sur la banquette et se tourne vers le trio de jeunes gens, estomaqués par ces soudaines apparitions.

– Je suis impatiente d'entendre ça, lance-t-elle d'une voix rauque et sensuelle.

D'un geste, elle ordonne à l'un de ses sbires de s'installer au volant et de démarrer. Puis elle sort un BlackBerry de la poche intérieure de sa veste et appuie sur une touche pour composer un numéro préenregistré. Elle se lance ensuite dans une conversation à mi-voix.

Passé un instant de stupéfaction, Marjorie s'exclame tout en fixant intensément la blonde au téléphone :

– C'est fou comme elle lui ressemble !

– À qui ? demande Betty.

– Mais à Lydia, bien sûr ! On dirait que c'est elle, avec vingt-cinq ans de plus...

***Conversation téléphonique cryptée
entre Angela Fauster et le représentant
des actionnaires du groupe BEST.***

A. F. : J'ai besoin de votre aide.

BEST : Que se passe-t-il ? Êtes-vous encore à l'aéroport ?

A. F. : Non, justement. La police surveillait le jet. Il y avait des flics partout. J'ai dû m'éclipser par mes propres moyens.

BEST : Ah. Un instant, je vous prie. Je dois établir certaines connexions... Voilà, c'est fait... Hum, il semble que la situation se soit quelque peu compliquée...

A. F. (*sur un ton méprisant*) : Comme vous dites, en effet ! Si j'avais compté sur votre seul sens de l'organisation, je serais tombée dans les filets d'Interpol, ou du service qui a monté cette opération à l'aéroport Charles-de-Gaulle !

BEST : Inutile de vous emporter. Où vous trouvez-vous actuellement ? Je ne capte plus votre signal.

A. F. : J'ai désactivé le mouchard de mon téléphone. Vous me croyez aussi naïve ? Désormais, je préfère prendre mes précautions avec vous.

BEST : D'accord, c'est de bonne guerre. Qu'attendez-vous de notre part ?

A. F. : Si Mimesis est compromis, je n'y suis pour rien. Tout est la faute de cet imbécile de Beller. Je refuse de porter le chapeau. Alors débrouillez-vous pour effacer tout lien entre le projet et moi.

BEST : Cela paraît une exigence raisonnable…

A. F. : Je n'ai pas fini. Je dois quitter l'Europe rapidement. Prévoyez un transfert selon les modalités habituelles. Je serai sur le site d'ici deux heures. Mais je vous avertis : si l'appareil n'est pas au rendez-vous ou si je détecte la moindre bizarrerie, j'ai largement de quoi impliquer le groupe dans de très sales histoires.

BEST : Ce ne sera pas nécessaire, je vous l'assure. Nous allons veiller sur vous, Angela.

A. F. : Vous avez intérêt !

2

– Expliquez-moi à quoi tout ça rime, docteur, exige Lydia. J'ai besoin de savoir. Vous me le devez bien !

– Waouh ! s'extasie Marco en inspectant les cuves matricielles et leur sinistre contenu. On se croirait dans une série de science-fiction...

– C'est pourtant la réalité, corrige Beller. La technique de mise en culture de clones humains est théoriquement opérationnelle depuis longtemps, mais les comités d'éthique se sont toujours opposés aux essais cliniques. BEST a passé outre ces vieilles questions de morale et démarré le projet Mimesis il y a vingt ans. En grec ancien, le terme signifie imitation. En l'occurrence, imitation de la vie. Il s'agissait de prouver que des individus créés artificiellement, grandis dans des cuves emplies de liquide nutritionnel et alimentés par cordon ombilical, puis soumis à un conditionnement ciblé, pouvaient être programmés pour tenir n'importe quel rôle à la perfection. C'est

233

ainsi que nous avons génétiquement fabriqué Lydia, notre prototype.

La grimace de contrition accompagnant cet aveu est peut-être due à la douleur consécutive à la perte d'un doigt; la jeune fille choisit cependant de faire confiance au docteur.

– Fabriqué, répète-t-elle. Alors Lydia n'est pas humaine?

– Elle incarne un fantasme formaté pour satisfaire l'imagination de millions de fans. Plastique parfaite, voix calibrée par ordinateur, vie de rêve... Tout en elle est artificiel!

– Et en moi?

– Tu as dû comprendre en découvrant les deux cuves vides. Tu es la première Lydia. J'ai façonné ton identité pour qu'elle corresponde à la vie rêvée d'une jeune star. Pourtant, au fil des années, une distorsion est apparue entre cette personnalité superficielle et celle, plus profonde, que tu as fini par acquérir. C'est ce qui t'a rendue de plus en plus agressive au cours de la dernière tournée. Il était convenu que je te soumette à une séance de reconditionnement, mais au dernier moment Angela a ordonné qu'on te remplace par un autre sujet, la deuxième Lydia.

– Et deux Lydia ne peuvent pas coexister, c'est pour ça que vous avez modifié mon apparence!

Le docteur acquiesce.

– Sur une suggestion d'Angela. Elle ne m'a pas laissé le choix. Ma clinique appartient à BEST, tout comme mes travaux, ma vie elle-même. En ce sens, nous nous ressemblons, toi et moi.

— Sauf que je ne possède pas de véritable passé...

— Bien sûr que si ! Tu as rencontré de nombreuses personnes, noué des liens d'amitié avec certaines, éprouvé ainsi des émotions. Tes goûts se sont peu à peu affirmés, tout comme tes opinions. Tu as accumulé des expériences et tu en as tiré des conclusions personnelles, n'est-ce pas ? Et aujourd'hui, tu es libre de faire tes propres choix. Ne doute jamais que tu es aussi humaine que n'importe quel autre individu sur cette Terre !

— Je commence à me rappeler certaines scènes de ma vie avant le séjour dans votre clinique, confirme Lydia.

— L'effet des drogues se dissipe. Bientôt, tu seras en possession de la totalité de ton passé.

Comme pour confirmer les propos du docteur, une succession d'images défilent dans l'esprit de l'adolescente quand elle baisse les paupières et se concentre.

Des dizaines de shows sur les plus grandes scènes d'Europe et du monde, devant des milliers de spectateurs enthousiastes...

Des fous rires dans l'intimité des loges, des crises de larmes quand la pression des tournées atteignait un niveau insupportable...

Des tournages et des shootings à n'en plus finir, des interviews dans toutes les langues imaginables...

Et de nombreuses conversations par webcams interposées avec ses parents...

Lydia rouvre d'un coup les yeux.

— Un instant ! En ce qui concerne mon père et ma mère ? Ils existent ! Je me souviens maintenant de leur avoir souvent parlé.

– Bien sûr, confirme le docteur. Ils sont ici, eux aussi.

– Où ça ?

De sa main valide, Beller désigne l'un des ordinateurs alignés près des cuves matricielles.

– Allume-le, dit-il. N'aie pas peur.

Lydia s'exécute en retenant son souffle. Sitôt la machine en route, le visage d'une femme bronzée apparaît à l'écran, dans un décor de paradis tropical.

– Bonjour, ma chérie, salue la voix jaillie des haut-parleurs. Comment vas-tu ?

– Réponds-lui, encourage Beller. Elle réagira à la perfection.

– Ce n'est qu'un programme informatique !

– Une intelligence virtuelle, oui. Pas quelqu'un de réel, de vivant, comme toi. Elle n'éprouve rien, ni émotions ni sentiments. Elle ne fait que simuler la vie. Toi, au contraire, Lydia, tu vis pour de bon !

Si peu, songe-t-elle, au bord du vertige. *J'ai un corps de quinze ans et un esprit âgé de seulement trois si l'on tient compte du temps passé dans le monde réel, en dehors de cette cuve où l'on m'a... fabriquée !*

– Tu parles d'un délire, renchérit Marco. Même stone, j'en ai jamais connu de pareil ! Des clones... Waouh ! Un vrai trip de savant fou...

– Tous les précurseurs sont d'abord incompris, objecte le docteur. Puis les mentalités évoluent et on reconnaît enfin leur génie !

– Ouais. Ou ils finissent à l'asile avec une camisole...

– Attendez un peu, l'interrompt Lydia. Je ne saisis pas grand-chose à ces histoires de clonage, mais il faut bien un modèle de départ, non ?

– Un donneur, corrige Beller. Quelqu'un qui accepte le prélèvement de cellules souches, à partir desquelles on procède à la mise en culture.

Le cœur de la jeune fille s'emballe soudain quand elle demande :

– Alors, ça signifie que j'ai un... père quelque part ?

– Une mère, plus précisément. Du point de vue génétique, du moins.

– Qui est-elle ? Comment s'appelle-t-elle ?

Beller pousse un profond soupir. Il s'apprête à répondre quand l'agent asiatique volé à la rescousse de Lydia fait irruption du sas, son portable toujours collé à l'oreille, pour annoncer :

– Une équipe de nettoyage est en route. La clinique va être évacuée.

Désignant Marco, il ajoute :

– Tu peux t'en aller. Pas la peine qu'elle te trouve ici. Merci pour ton aide.

– Ç'a été une vraie partie de plaisir, Jet... Euh, ce serait quand même sympa de connaître ton nom...

– Capitaine Wu Shan, répond l'intéressé, un peu déstabilisé, avant de tendre la main au garçon

La vérité s'impose d'un coup à l'esprit de Lydia.

– Wu ! Je savais bien qu'on s'était déjà rencontrés, quand j'étais l'autre Lydia... On m'avait dit que tu étais reparti en Chine auprès de ta mère malade.

– Bien obligé de fournir un prétexte pour détourner les soupçons d'Angela. J'ai pris l'avion pour Pékin. Une fois là-bas, on m'a réexpédié en Europe. Wu le chorégraphe n'existait plus. Je redevenais le capitaine Shan, au service de son gouvernement.

Mon objectif consistait à localiser cet endroit, que nous avions désigné comme « la maternité ».

– Cool, un espion, sourit Marco.

Lydia ignore l'interruption.

– Maintenant que tu as accompli ta mission, que va-t-il arriver ?

– Je ne te mentirai pas, dit Wu avec un coup d'œil appuyé en direction de la table d'opération. Beller ne sera pas condamné. Ses recherches sont trop importantes. Leur résultat impressionnant. Mes supérieurs m'ont assigné un nouvel objectif : escorter le docteur jusqu'en Chine. Cette fois, je repars pour de bon au pays.

– Et moi ? Après tout, je suis le principal résultat des expériences conduites à la maternité !

Le capitaine Shan se tourne vers les cuves matricielles encore occupées pour déclarer :

– Mon gouvernement se satisfera pleinement des sujets inactifs. Je n'ai pas mentionné ta présence à mes supérieurs. Officiellement, tu as disparu dans la nature le jour de l'accident dans la montagne.

– Pourquoi leur as-tu menti ?

Wu étreint Lydia longuement avant de répondre :

– Tu n'es pas censée être ici, compris ? Alors profites-en pour goûter à la liberté. Tu l'as méritée plus que quiconque ! Pars avec Marco et tourne la page. Lydia n'existe plus. Tu peux enfin commencer à vivre !

3

Après une demi-heure à une allure d'escargot sur le périphérique, le camion s'engage enfin sur une bretelle d'autoroute en direction du nord-ouest et de la Normandie.

Marjorie ose alors briser le silence, après une longue cogitation :

– Je sais qui vous êtes, lance-t-elle à la blonde installée sur la banquette, côté passager. J'ai reconnu votre voix, Angela !

– Bravo, mon chou. Tu es douée. Tu feras une excellente journaliste, plus tard. Je suis sérieuse.

– Merci...

Puisque la big boss paraît disposée à la conversation, la blogueuse en profite pour satisfaire sa curiosité :

– Pas mal de choses m'échappent encore, comme l'identité de cette autre Lydia sortie de nulle part.

Elle est au courant de détails que moi seule et la véritable Lydia pouvons connaître. Comme ce qui s'est passé l'autre soir au Zénith de Strasbourg à la fin de la tournée...

— Il y a une explication très simple. Tu n'as pas deviné ?

— Je crois que si, mais ça me semble tellement extraordinaire !

— Je le pensais aussi, au début...

Un soupçon de nostalgie perce sous la dureté du ton. Lorsque Angela se retourne face aux passagers confinés à l'arrière du camion, ses yeux brillent et une larme gonfle au coin de ses paupières.

— Quand nous avons lancé le projet Mimesis, j'étais pleine d'espoir, transportée de joie et prête à renverser les uns après les autres tous les obstacles imposés par la loi et la morale. Parce qu'on est prêt à défier le monde entier pour retrouver ce qu'on a perdu de plus cher !

Il règne une telle tension dans la cabine surchargée que personne ne réagit, de crainte qu'un geste malheureux ne provoque un accident. Un des sbires d'Angela tient toujours les teufers et Marjorie sous la menace de son flingue. Peter serre les poings et rumine sa colère. Betty s'accroche à sa tablette numérique comme à une bouée de sauvetage. Chacun suspend son souffle dans l'attente de nouvelles révélations.

— Il y a bientôt vingt ans, j'ai accouché d'une petite fille dans des conditions très difficiles. Les médecins ont fait un choix terrible : sacrifier l'une de nous deux pour que l'autre vive. Si j'avais été capable de réfléchir posément, je leur aurais ordonné de la sauver, elle. Mais j'étais à moitié inconsciente et ils ont préféré me donner ma chance, en se disant que je pourrais avoir un autre enfant. Ils se trompaient. Après leur intervention, je suis devenue stérile. Et je leur en ai atrocement voulu pour la mort de ma petite Lydia...

Elle essuie les larmes sur ses joues d'un geste désinvolte, puis continue :

– Quand BEST m'a offert cette incroyable opportunité d'engendrer la vie, comment aurais-je pu refuser ? Même s'il ne s'agissait que de reproduire un clone de ma personne, j'imaginais déjà pour lui le formidable destin dont j'avais rêvé pour ma fille. Tout ne s'est pas déroulé comme je l'avais espéré...

Elle lâche un éclat de rire rauque, tranchant comme un silex.

– Je préférerais à présent que les créatures cultivées à partir de mes cellules disparaissent à tout jamais de la surface de la Terre !

Environ une heure après les révélations d'Angela, le camion abandonne l'autoroute pour se perdre dans la campagne normande, délaissant une route nationale pour une départementale, puis pour un simple chemin de terre battue qui s'enfonce à travers prés et vergers.

Marjorie rassemble son courage pour demander :

– Que comptez-vous faire de nous ?

– J'ai cru comprendre que tu détenais certaines informations sensibles... Inutile de le nier. Tu étais placée sous surveillance au *Plaza Athénée*. Ton ordinateur également. En matière de sécurité, je ne laisse rien au hasard. Tous ceux qui approchent Lydia ont droit au même traitement, simple précaution.

Avec un signe à l'adresse du chauffeur et de son acolyte, Angela précise :

– J'ai donc chargé ces deux cerbères de veiller sur toi vingt-quatre heures sur vingt-quatre. Dès qu'ils m'ont avertie que tu essayais de filer en douce de l'hôtel, j'ai senti que j'avais une carte à jouer. Bref, ils m'ont conduite jusqu'à toi et me voilà. Futée comme tu l'es, je suis sûre que tu as emporté ces fameuses infos avec toi, sur une clé USB ou un autre support. Tu n'aurais pas commis la bêtise de les oublier dans ta chambre !

La blogueuse acquiesce tout en se morigénant pour son imprudence. Certes, elle a pensé à stocker la vidéo sur son téléphone portable, mais elle réalise qu'elle a omis de l'effacer sur son ordinateur qu'elle a laissé à l'hôtel.

– Parfait, reprend Angela. Tu restes avec moi tant que je ne suis pas hors d'atteinte des autorités. Ensuite, je te relâcherai, tu as ma parole.

Bien que le programme n'agrée pas à Marjorie, elle se retient de manifester sa réprobation. En fait, une part d'elle-même trouve l'aventure si excitante malgré le danger qu'elle s'en voudrait de rater l'opportunité d'un super compte rendu dans les pages de son blog !

Si toutefois, songe-t-elle avec un frisson, *Angela tient sa promesse...*

Après une poignée de kilomètres en pleine campagne, le camion s'immobilise en bordure d'un muret délabré, entourant une ferme en ruine.

Angela consulte alors sa montre au bracelet de métal précieux.

– On ne devrait pas attendre longtemps...

La prédiction se concrétise moins de cinq minutes plus tard. Un hélicoptère noir surgit par-dessus les frondaisons du proche sous-bois, une cinquantaine de mètres plus loin, et file en rase-mottes jusqu'à la verticale de la cour de ferme, où il se pose sans couper son moteur.

– Et pour nous ? s'inquiète Peter, un bras protecteur passé autour des épaules de Betty. Je suppose que ça ne sert à rien de vous promettre notre silence.

– Vous n'auriez pas dû vous mêler de ce qui ne vous regardait pas, jeunes gens. « Curiosity killed the cat » comme disent les Anglais, la curiosité a tué le chat. N'y voyez rien de personnel.

Angela s'adresse à ses hommes de main avant de descendre du camion :

– Faites ça vite et sans laisser de traces.

– Non ! lance Marjorie. Vous n'allez quand même pas...

La gifle part sans prévenir, cuisante sur la joue déjà blessée de la blogueuse.

– Je ne supporte pas qu'on remette mes décisions en cause, jeune fille. Tiens-toi-le pour dit et suis-moi !

Elle attrape l'adolescente par le poignet et la tire derrière elle jusque dans la boue de la cour.

Le vrombissement du rotor étouffe les gémissements de Marjorie. Le souffle des pales brassant l'air sèche ses larmes avant qu'elles aient atteint son menton.

Au moment où Angela atteint l'hélicoptère, éclatent les premiers coups de feu.

4

Enlacés dans une ultime étreinte, Peter et Betty bravent l'œil rond des revolvers braqués sur eux.

– Je suis désolé, bébé, murmure le garçon aux piercings.

Sa tablette serrée contre la poitrine, tel un dérisoire bouclier de plastique et de métal, la punkette redresse crânement la tête pour cracher au pied des hommes en noir.

– On aura toujours mieux vécu que ces salauds ! lance-t-elle en guise d'épitaphe.

Betty se force à ne pas baisser les paupières, pour emporter avec elle l'éclat des flammes jaillies du canon pendant le grand voyage sans retour...

– Rien ne pourra plus nous séparer, conclut Peter.

Plusieurs détonations claquent, hachant le raffut mécanique de l'hélicoptère en fond sonore.

Les teufers tressaillent, surpris par l'absence de choc et de douleur. En face d'eux, les hommes en noir s'écroulent sous l'impact de balles tirées à distance avec une précision professionnelle.

Dans le même temps, un groupe d'intervention surgit des fourrés et envahit les alentours. Caparaçonnés de Kevlar, cagoulés et gantés, des grenades et un pistolet accrochés à la ceinture, les professionnels brandissent de courts fusils automatiques dotés d'une lunette de visée et échangent des informations codées par l'intermédiaire de radios incorporées à leur casque. Deux d'entre eux sécurisent le périmètre autour du camion, un genou planté à terre, tous les sens aux aguets, tandis que le reste de la troupe se rue à l'assaut de la ferme.

– Il était moins une ! constate la jeune femme apparue dans le sillage des soldats.

Elle porte seulement un gilet pare-balles sur son chemisier et arbore une carte tricolore pendue à son cou.

– Lieutenant Saulnier. Vous devez être Peter et Betty. Est-ce que ça va ?

– Ou... ouais, acquiesce Peter. Mais comment vous avez fait pour débarquer si vite ?

– Coup de bol et efficacité de nos techniciens ! On a trouvé la vidéo de Lydia dans l'ordinateur de Marjorie. Il a suffi de relier certains détails à l'incendie de votre squat dans le nord de la Lorraine. La gendarmerie du coin nous a fourni le signalement de votre camion. On l'a repéré sur le périph grâce aux embouteillages et aux caméras de surveillance. Ensuite, on n'a eu qu'à le suivre...

Des rafales de tir automatique crépitent soudain tout près de là.

– Surtout, restez à l'abri ! ordonne le lieutenant Saulnier.

Puis elle s'élance, courbée en deux, en direction de la ferme.

– Baissez-vous ! intime le chef du groupe d'intervention au moment où Jenny parvient à hauteur du muret.

Une grêle de plomb brûlant fait gicler des éclats de pierre de tous côtés. Jenny s'aplatit dans la boue et demande un rapport.

– Il y a un tireur dans l'hélico, indique l'homme en noir. Un pro, sûrement. Je pense qu'on peut l'avoir, mais la cible détient la gamine en otage.

La cible, autrement dit Angela Fauster. En découvrant le profil de mannequin de la superbe blonde installée à l'avant du camion sur les enregistrements des caméras du périphérique, Jenny a aussitôt su à qui elle avait affaire. L'incroyable ressemblance avec Lydia ne laissait planer aucun doute.

– On ne court pas de risque, décide-t-elle. Il faut sortir Marjorie entière de là, c'est clair ? Surtout pas de bavure ! Positionnez vos snipers pour qu'ils soient en mesure de dézinguer le tireur à mon signal.

Le chef de groupe hoche la tête une seule fois. Puis il distribue des ordres à ses hommes par radio.

Jenny prend une profonde inspiration.

247

Elle se redresse lentement, les bras levés, paumes tournées vers l'avant pour bien montrer qu'elle ne tient aucune arme.

Le chef de groupe étouffe un juron. Mais il n'empêche pas l'officier des services secrets de franchir le muret et de s'avancer au milieu de la cour à la rencontre d'Angela Fauster.

En voyant approcher l'attachée de presse, Marjorie reprend confiance. Elle ne saisit pas ce que Jenny fait ici en compagnie d'une troupe d'assaut, malgré tout ce visage connu la rassure.

En revanche, la surprise ne paraît guère au goût d'Angela.

– Espèce de garce ! lance-t-elle avec mépris. Le ver était dans le fruit depuis tout ce temps…

– C'est terminé ! réplique Jenny. Vous ne vous en tirerez pas, Angela. Relâchez la gosse et rendez-vous !

En équilibre sur un patin de l'hélicoptère, le tueur a cessé d'arroser l'enceinte de la ferme. Il braque désormais son arme sur la nouvelle venue, dans l'attente d'une confirmation de la part d'Angela.

– Vous n'êtes pas sérieuse, se moque cette dernière. Je vais grimper dans cet appareil et vous me laisserez partir sans rien tenter de stupide.

– Nous détenons Max et le docteur Beller. La clinique est sous notre contrôle. Vous êtes finie, Angela. BEST ne vous protégera plus. Il ne vous reste qu'une option raisonnable.

– Joli speech, ma belle. Mais je sais par expérience qu'on peut toujours tout recommencer. Alors, adieu...

Angela recule pas à pas, tête baissée, un bras autour de la taille de Marjorie, ses longs cheveux dorés agités par le vent du rotor.

Le poing gauche de Jenny se referme et sa main droite plonge en direction de son holster.

Réagissant au signal en une fraction de seconde, les snipers dispersés à l'entour éliminent la menace de l'homme à la mitraillette à l'aide de tirs croisés d'une redoutable efficacité.

Le corps inanimé s'abat aux pieds d'Angela, qui détourne son attention.

Jenny est déjà en position, jambes légèrement écartées, la crosse calée au creux de ses paumes, avec en ligne de mire la toison ébouriffée de sa cible.

Comprenant que l'instant de vérité est arrivé, Marjorie suspend sa respiration et ferme les yeux.

Un coup de feu...

Puis un autre.

L'étreinte d'Angela se relâche. Marjorie est libre.

– Par ici ! s'écrie Jenny.

Marjorie se met à courir, plus vite qu'elle ne l'aurait cru possible, et se jette dans les bras de l'attachée de presse.

Le pilote arrache son appareil du champ de tir dans un vrombissement suraigu de rotor. Quelques balles ricochent sur le blindage de la carlingue.

Moins de dix secondes plus tard, l'hélicoptère se trouve hors de portée. Vingt secondes supplémentaires, et il disparaît à la vue des agents de la DGSE.

– Bordel ! jure le chef de groupe. Quelles sont les instructions, lieutenant ?

Jenny se doute qu'ils n'auront pas le temps de faire décoller un de leurs engins pour engager une poursuite. Et comme l'hélicoptère vole en dessous de la zone de détection des radars, autant considérer qu'il est perdu pour eux. À vitesse maximale, il atteindra en moins d'une demi-heure les eaux internationales de la mer du Nord.

– On remballe et on rentre au bercail. Mission terminée, annonce Jenny.

Elle gardera longtemps en mémoire le dernier geste d'Angela Fauster. Touchée deux fois, la big boss a encore eu la force de se hisser à l'intérieur de l'hélicoptère et de ramper sur le sol pour s'agripper à un siège au moment du décollage.

Sacrée bonne femme, Jenny doit bien le reconnaître !

Le lieutenant Saulnier regagne le camion des teufers en compagnie de Marjorie.

– Je ne sais pas ce qui m'irrite le plus, avoue-t-elle. Qu'Angela m'ait filé sous le nez ou de ne pas avoir l'occasion de l'interroger. Nous n'avons que des preuves indirectes de l'implication du groupe BEST dans le projet Mimesis. Ses actionnaires s'en tireront en démentant nos accusations et en chargeant Angela. Leurs noms n'apparaîtront pas dans les procédures...

Betty se racle alors la gorge pour attirer l'attention.

– J'ai tout enregistré là-dessus, dit-elle en brandissant sa tablette.

– Enregistré quoi? demande Jenny.

– Durant le trajet, dans le camion, cette nana, Angela, nous a raconté pas mal de trucs sur ce foutu projet. Je l'avais plein cadre, et le son est plutôt bon. J'ai capté sa conversation au téléphone. Elle parle du groupe à son interlocuteur, j'en suis sûre. Avec ça, vous pourrez tous les coincer!

Bienvenue sur le blog de Marjorie

Lydia forever !

Mes lecteurs adorés, je vais devoir bientôt changer le titre de ce blog. Car autant vous l'annoncer direct : Lydia met un terme à sa carrière.
Non, ce n'est pas une blague.
Elle tenait à m'annoncer elle-même la nouvelle, afin que je vous la livre en exclusivité, à vous, ses plus grands fans.
D'autres projets attendent notre Lydia adorée. Lesquels ? Mystère et vie privée !
Hé oui, il va falloir nous faire une raison : Lydia quitte la scène et le feu des projecteurs pour retrouver l'anonymat. Un choix que je comprends (plus que vous ne pourriez le croire !) et que je respecte profondément.
À cette occasion, d'ailleurs, BEST se retire du show-business pour se recentrer sur ses autres activités.

Les plus curieux d'entre vous savent peut-être que le groupe international est impliqué dans un scandale lié à la violation de nombreuses règles éthiques pour ses activités de recherches menées clandestinement en Suisse. Un procès se tient en ce moment dans la plus grande discrétion, les débats étant menés à huis clos. D'après mes sources, on s'achemine vers un non-lieu.

Pour autant, cela ne doit pas vous attrister, mes lecteurs chéris !

Car, selon mes informations confidentielles, notre Lydia est aujourd'hui plus épanouie que jamais...

Mais chut ! J'ai promis de ne rien dévoiler pour une fois. Et je tiendrai parole.

Je n'ajouterai donc que : ciao Lydia, et bonne route !

> J'arive pa à y croir ! C vréman pa de bol !
> Pourkoi Lydia arête tout ?
>
> *lolotte-de-nancy*

> Je suppose que la décision de Lydia est liée aux difficultés de BEST. Il nous faut la respecter, comme nous avons toujours respecté les choix de carrière de notre idole. Nous avons soutenu Lydia depuis trois ans. Continuons et souhaitons-lui bonne chance !
>
> *Camille*

> D'accord avec Camille, nous n'avons pas à juger Lydia, elle est libre d'agir à sa guise...
>
> *Aurélie*

Pas mieux, les filles! Et bon vent à toi, Lydia, si tu lis cette dernière page du blog de ton fan-club. Tu nous manqueras, mais il nous reste ta musique pour nous consoler et nous tenir compagnie! Je suis sûr qu'on ne l'oubliera jamais!

K-Stor-Spatial

Épilogue

***Conversation téléphonique cryptée
entre Cyril et le représentant des actionnaires
du groupe BEST.***

BEST *(voix monocorde, déformée par filtre électro-nique)* : Bonjour, Cyril. Heureux de constater que vous vous en êtes tiré.

C. : Qui est à l'appareil ? Comment avez-vous eu ce numéro ?

BEST : Je représente l'ensemble des actionnaires du groupe. Vous n'avez pas besoin d'en savoir plus.

C. : Que voulez-vous ?

BEST : Nous avons besoin de vos services. De votre inimitable savoir-faire.

C. : Vous ne respectez pas le protocole. Pourquoi n'appelez-vous pas Angela directement ?

BEST : La réponse est contenue dans la question.
(Une pause.)

C. : Je vois. Vous voulez que je m'occupe de madame Fauster. Pourquoi ?

BEST : Elle nous a beaucoup déçus ces derniers temps. Elle n'a pas su gérer le projet que nous lui

257

avions confié. Nous ne pouvons pas tolérer que le comportement d'une employée nous prive des bénéfices escomptés. Nous devons donc envoyer un signal fort aux autres cadres afin de les remotiver. Un signal *brûlant*, plus exactement.

C. : J'ai compris. Je m'en charge.

BEST : Je savais que nous pouvions compter sur vous. Vous ne le regretterez pas, Cyril. Le groupe a eu vent de vos récentes mésaventures. Résolvez le problème Fauster et il vous offrira un nouveau départ. Le docteur Beller n'était pas le seul magicien à notre disposition !

Quelques jours plus tard, dans le nord de l'Europe.

La trappe s'ouvre enfin. Lydia s'extrait du compartiment puant l'essence et la marijuana en aspirant un grand bol d'air frais.

Betty lui adresse un clin d'œil.

– Aucun souci à la frontière... Comme toujours !

Lydia sourit, heureuse de retrouver la punkette, et se jette entre ses bras. L'étreinte prolongée lui réchauffe le cœur. Le rire de Betty résonne dans l'habitacle, signe d'un plaisir partagé.

– Viens, dit-elle en prenant Lydia par la main, on va se tasser à l'avant. Tu fais partie du gang, maintenant !

Par les fenêtres du bahut, on aperçoit la mer, d'une pureté absolue, scintillant sous le soleil qui baigne les fjords.

Peter et Marco accueillent les filles au beau milieu d'une discussion autant animée qu'embrumée.

– Alors, finalement, c'était qui ce Chinois ? demande Peter. Je ne pige rien à ton histoire, vieux !

Marco tire une bouffée sur son joint avant de répondre :

– Bon sang, c'est pas compliqué pourtant ! Il s'appelait Shan mais aussi Wu, enfin c'était sous ce nom-là que Lydia le connaissait quand elle était l'autre Lydia, avant de devenir la Lydia d'aujourd'hui. C'est clair, non ?

Après un bref silence, de nouveaux éclats de rire fusent dans la cabine du camion qui circule vitres baissées pour dissiper la fumée odorante.

– Wu travaillait en fait pour le gouvernement chinois, précise Lydia. C'était quand même un excellent danseur, vous auriez dû le voir sur scène ! S'il n'avait pas été espion, il aurait eu une sacrée carrière... Nos entraînements vont beaucoup me manquer. Enfin, je pourrai toujours l'appeler quand j'aurai besoin de lui parler. Avant qu'on se sépare à la clinique, il m'a soufflé un numéro de portable sécurisé que j'ai gravé là...

De l'index, elle indique son front puis ajoute :

– *Ça*, je ne suis pas près de l'oublier !

– En cas d'urgence, ou si tu en as simplement envie, tu auras aussi la possibilité de contacter Jenny, indique Betty. Je pense qu'elle appréciera de recevoir des nouvelles. Elle a promis de nous tenir informés des suites du procès. Le verdict tombera bientôt pour ton ex-manager...

– Pauvre Max, dans le fond je l'aimais bien. Malgré ce qu'il m'a forcée à endurer, je suis sûre que ce n'est pas un salaud. BEST l'a manipulé, lui aussi.

– Bah, lance Marco, un séjour en zonzon n'a jamais tué personne ! Je sais de quoi je parle...

– Et les clones ? reprend Peter, préférant changer de sujet. Qu'est-ce qu'ils sont devenus ?

– La seconde Lydia est entre les mains des services secrets français. Les autres, comme tout le matos du docteur, ont été évacués en toute discrétion par les Chinois, à la barbe des Suisses ! Beller doit se trouver en Chine en ce moment. Les accords passés entre la DGSE et ses homologues de Pékin semblent définitivement rompus.

– Wow ! s'exclame Marco. Imaginez un peu la scène, tout plein de clones de Jet Li...

De nouveaux éclats de rire ponctuent la remarque.

– Nan, sérieux, insiste Marco, ça serait trop génial !

La conversation roule ainsi d'un délire à l'autre à mesure que le sound system approche de la prochaine free party organisée par Peter et sa bande.

Les « rêves sauvages » de Lydia vont enfin se concrétiser. Loin des feux des projecteurs, comme l'a écrit Marjorie dans son dernier billet, mais dans la chaleur réconfortante des amitiés partagées.

Beaucoup de questions restent en suspens dans l'esprit de la jeune fille. Toutefois elle a retenu l'une des leçons prodiguées par le docteur Beller et Wu Shan avant qu'ils ne se séparent.

Vivre, c'est apprendre à se passer de réponses et profiter de chaque journée au maximum.

Aujourd'hui, Lydia a enfin la possibilité de faire ses propres choix. Cela la rend définitivement humaine.

261

Elle est enfin en mesure de décider ce qu'elle préfère oublier de son passé, même si elle n'est pas certaine d'y arriver. Au moins, personne ne cherchera plus à manipuler sa mémoire. Et son avenir est promesse de souvenirs précieux, que rien ni personne ne pourra plus lui retirer.

La route est encore longue, et par ce bel après-midi d'été, entourée de ses nouveaux amis, Lydia souhaite qu'elle se prolonge à l'infini...

Au même moment, dans la capitale d'un pays
sans accord d'extraditions avec l'Europe.

– La chambre de madame Fosset, s'il vous plaît ?

– Un instant, señor... Ah, voilà, Adriana Fosset. La 414, au quatrième.

– Je vous remercie.

– Attendez, señor ! Il est interdit de fumer dans cette clinique !

– Vous dites ça pour le briquet ? Ne vous en faites pas, c'est juste un porte-bonheur, je vous jure que je n'allumerai aucune cigarette avec...

– Parfait, señor. Mais ne vous attardez pas, c'est bientôt l'heure de la fin des visites.

– Juste le temps d'embrasser ma vieille amie et je disparais, c'est promis !

L'AUTEUR

Johan Heliot est né en 1970 dans l'Est de la France, où il vit toujours entouré de ses chats, à l'ombre des montagnes vosgiennes. Ex-professeur de lettres et d'histoire-géo, il se consacre à l'écriture depuis une dizaine d'années. Depuis la parution de *La lune seule le sait*, prix Rosny Aîné en 2000, il a signé plus de quarante romans pour adultes comme pour la jeunesse, en science-fiction comme en fantasy, dont le très remarqué *Ados sous contrôle* chez Mango en 2007 et le récent *Création* dans la collection Nouveaux Millénaires de J'ai Lu ou la série *Le Tempestaire* chez BAAM !

Blog, avant-première, forum…
Adopte la livre attitude !

www.livre-attitude.fr

RAGEOT ✦ *THRILLER*

Hervé Jubert - **Vagabonde**

Tome I - Les voleurs de têtes

Dans la famille Bird, on est voleurs de père en fils ! Ou plutôt en fille en ce qui me concerne. Moi, c'est Billie. Mon père a été enlevé et ses ravisseurs exigent en guise de rançon de précieuses statues : « les têtes du zodiaque »...

Tome 2 - Le gang du serpent

Pour sauver mon père et satisfaire ses ravisseurs, moi, Billie Bird, je dois m'emparer d'un pli cacheté à l'Académie des sciences. Mais un vieil homme me prend de vitesse et disparaît avec le pli ! De Cordoue aux Météores, je me jette dans une quête effrénée...

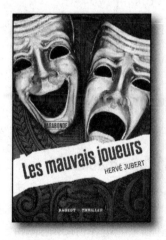

Tome 3 - Les mauvais joueurs

Désormais, les jours sont comptés pour réunir les têtes et reconstituer la machine du Temps, la seule chance de sauver mon père. De Prague à Berlin, je dois jouer serré pour démasquer ceux qui me manipulent...

RAGEOT ✦ *THRILLER*

Paul Halter
Spiral

La lande bretonne. Une demeure isolée, au vertigineux escalier. Une pièce interdite. Un propriétaire inquiétant et ses invités. Pas de réseau, aucune communication possible. Mélanie, qui s'imaginait passer des vacances tranquilles, s'affole...

Fabien Clavel
Décollage immédiat

Je m'appelle Lana Blum. Ma mère a disparu. Un homme me poursuit. Les rouages d'un incroyable complot se dessinent autour de moi. Je fuis d'aéroport en aéroport, d'avion en avion. Ce qui m'attend à l'arrivée? Je l'ignore.

Philip Le Roy
La Brigade des fous - Blackzone

Ils sont six. Hyperactif, geek, dépressif, autiste... placés dans une étrange institution. Leurs pouvoirs sont immenses, tout aussi grands que la tâche qu'ils devront accomplir.
Bienvenue dans la Brigade des fous...

RAGEOT ✦ *THRILLER*

Laurent Queyssi
Infiltrés

Adam est un adolescent handicapé. Sa vie, il la pense immobile, rivé à un écran. Jusqu'au jour où son existence s'accélère. Propulsé dans la course pour milliardaires Riviera Race, il se transforme en espion.

Charlotte Bousquet
Le dernier ours

Groenland, 2037. Avec le dérèglement climatique et la fonte des glaces, l'île n'est plus qu'une terre désolée. Anuri, dernier ours blanc né libre, est l'objet de toutes les convoitises. Sa soigneuse Karen réussira-t-elle à le sauver ?

Marin Ledun
Interception

Épileptique et victime de cauchemars récurrents, Valentine intègre un lycée-clinique expérimental. Le professeur Hughling décèle en elle un don prodigieux : l'interception. Mais comment le maîtriser ?

Retrouvez la collection

RAGEOT ✦ *THRILLER*

sur le site www.rageot.fr

PAPIER À BASE DE
FIBRES CERTIFIÉES

RAGEOT s'engage pour
l'environnement en réduisant
l'empreinte carbone de ses livres.
Celle de cet exemplaire est de :
620 g éq. CO_2
Rendez-vous sur
www.rageot-durable.fr

Achevé d'imprimer en France en septembre 2012
sur les presses de Normandie Roto Impression s.a.s.
N° d'impression : 12-3566
N° d'édition : 5658 - 01
Dépôt légal : octobre 2012